Cynthia Ozick

LA GALASSIA CANNIBALE

Garzanti

Prima edizione: febbraio 1988

Traduzione dall'inglese di
Claudio Salafia

Titolo originale dell'opera:
«The cannibal galaxy»

ISBN 88-11-67280-5

La galassia cannibale

a Bernardo
e a Rachele

Il resto della Vita per *vedere!*
Dopo la Mezzanotte! Dopo la Stella del Mattino!

Emily Dickinson

Metà degli uomini ama, l'altra odia. E qual è il mio posto fra queste metà così ben accordate tra loro? Attraverso quale spiraglio riuscirò a vedere le bianche case tracciate in sogno e quelli che corrono scalzi sulla sabbia, o almeno la ragazza sulla collina, col fazzoletto scompigliato dal vento?

Yehuda Amichai

In un certo senso il direttore della scuola elementare «Edmond Fleg» era di origine francese, essendo nato a Parigi, eppure ogni volta che citava il padre o la madre, morti da tempo, lo faceva in yiddish. «Figlio mio», diceva, ricordando suo padre, «quando comincia la lezione, *khapt men a dremele.* Cogli l'occasione per farti un sonnellino». Al direttore capitava spesso di fare battute ancestrali del genere, e sempre a sue spese: come avesse dentro un folletto. Del folletto aveva le smorfie, gli ammiccamenti, i piccoli denti maliziosi, lo sguardo elusivo e sornione, la pelle lustra e rubiconda. Tutto questo, però, nascondeva una natura malinconica, da eterno sconfitto. Gli scolari non avevano quasi mai paura di lui, gli insegnanti sì. Benché avesse studiato alla Sorbona, si sforzava di imitare le vocali americane, che si ostinavano a palpitare delle insopprimibili inflessioni di Rue des Rosiers. Poiché non c'erano francesi nei dintorni in grado di accorgersene, quelle vocali, per quello che ne sapevano i genitori dei bambini, potevano essere le stesse fiorite un tempo dalle gole dei Borboni.

La scuola sorgeva sulle rive di un grande lago, ben nascosto e acquattato dentro la cavità toracica del continente. Sembrava quasi che avesse orrore delle coste e dei margini, di ogni genere di limite o di estremità. La scuola si teneva in ogni senso a livello medio. Era composta da tre edifici né alti né bassi, dal tetto piatto, moderatamente moderni. Alle loro spalle, il lago baluginava di qualcosa di primordiale, di criptico, di oscuro. Quelle acque avevano una storia carica di turbolenze: le tempeste avevano causato il naufragio di molti mercantili. Di quando in quando il lago si impadroniva anche di vite umane.

La mattina, ancor prima del sordo brontolìo dei primi autobus, il direttore soleva scendere dalle sue stanze buie e fatiscenti per correre sulla spiaggia. Era uno scapolo di cinquantotto anni, ed era ancora un buon corridore. Nell'umida e verde caligine delle mattine di maggio, l'acqua appariva piatta e impenetrabile, come se fosse stata ricoperta da una membrana inerte. Le onde stavano immobili, senza levarsi né ricadere. Certe altre mattine l'intero anello del lago irradiava bagliori d'ottone, quasi fosse un secondo sole. I gusci dei gamberi intaccavano la suola di gomma delle scarpette del Direttore. E questo era un lato della scuola.

Dall'altro lato, dove fermavano gli autobus, l'erba cresceva rigogliosa e incolta, con macchie disordinate di fiori di campo e tracce incerte di sentieri. Un pendio erboso seguiva una sterile radura, il verde increspato di malerbe si tuffava nella lanugine dei soffioni. Dopo la scuola, nel vago chiarore del tardo pomeriggio (tanto era lunga la giornata scolastica), quando gli autobus con il loro carico tumultuoso erano ripartiti, il direttore si affacciava al limitare di quei campi deserti; sporgeva il petto verso la strada scura, verso la conca vuota dei campi; proprio in quei momenti, nella precisa cesura fra gli strilli di duecento bambini e il silenzio imbiancato del cortile, egli non si sentiva tanto un insegnante quanto un uomo investito di un potere quasi divino. Riconosceva ciò che teneva in mano: l'ascesa miracolosa della vita, il futuro implicito nel presente, la bontà stessa del genere umano. *Il mondo poggia sul respiro dei bambini nelle scuole* — questo frammento del Talmud dava ali al suo spirito come alle fronde dell'albero la calura intensa.

Dal versante della scuola prospiciente la spiaggia, il versante del lago, egli comprendeva meglio sé stesso. Frammenti di conchiglie e pietre limacciose insidiavano i suoi passi: ossa e scarti della natura. Il sentiero che conduceva al lago era un immondezzaio, la spiaggia una striscia macchiata di rifiuti. Qui tutto quadrava: da dove veniva, cosa era diventato. Una conchiglia perduta. Giungeva a considerare come persino le stelle non fossero altro che esempi e simboli di una cartografia topologica di dimensioni immaginarie; meditava su quella regione matematica dove tutto può essere creato, in cui le-cose-che-sono scelgono le proprie forme di esistenza dall'abbondanza illimitata delle cose-che-possono-essere.

Diceva a sé stesso: *il Creato e l'Ancora-da-Crearsi sono egualmente eloquenti se espressi nel loro linguaggio originario, la divina locuzione della equazione; a chi spetta dunque proclamare cosa sia più riuscito, superiore? Quanto noi consideriamo Realtà è soltanto Possibilità Parziale rudemente imprigionata nella muta Materia, il modello di un fisico plasmato sulla rozza armatura della gravità e delle sostanze chimiche.*

Gravità e sostanze chimiche! Atomi e forze! Rozzezza dei sistemi. Le galassie potrebbero facilmente essere grezze alternative a qualche altro Principio non ancora sperimentato nella Materia. E il direttore stesso — era anche lui una grezza alternativa a qualche altro uomo che avrebbe potuto esistere in sua vece in quel luogo, sulla fredda sabbia?

Tali meditazioni gli sovvenivano sempre meno spesso, a mano a mano che i suoi anni si esaurivano. Ormai il suo pensiero era ben di rado tanto astratto. L'astratto era come una pugnalata — troppo personale. Ma egli conservava per sé l'amara omonimia, la nozione del Principio incarnato in un *Principal*,[1] la sua stessa scomoda e comica teoria — ah! — dell'incarnazione imperfetta. E conservava anche un altro segreto gioco di parole, palleggiato da sé stesso a sé stesso all'unico scopo di farsi una risatina cattiva: il Fleg di «Scuola Elementare Edmond Fleg», di che cosa è abbreviazione? Risposta: di *Fleg*matico. E di cosa altro? Risposta: *Fleg*etonte, il fiume di fuoco che attraversa l'Inferno.

Benché il lago della scuola profumasse di pellerossa, di foreste, di nebbie settentrionali, il direttore lo chiamava in privato lago Edmond Flegetonte. Non perché lo immaginasse avvolto dalle fiamme, nemmeno quando un tramonto infuocato ne increspava la superficie di obliqui riflessi; ma perché gli piaceva credere che quelle acque ribollissero sopra un letto di antiche ceneri. Egli credeva nel predominio delle ceneri.

Si vedeva nel bel mezzo di un'America cinerea, alla guida di una scuola di reputazione mediocre (benché fingesse che fosse migliore di quello che era), assediato da genitori mediocri e dalla loro mediocre progenie. Tutto ciò era sorprendente per la sua tarda mezza età, ma la sorpresa era di portata soltanto mediocre. Era abituato a frequentare il Mediocre. Era stato gettato nel Bel Mezzo del suo tempo in ogni senso: proprio nel mezzo di una famiglia di nove figli, il quinto a svegliarsi alla vita nello stretto appartamento dalle grandi finestre sopra la Rue de Poitou, nel Ma-

1 In inglese, *direttore* di scuole.

rais, non lontano dalla rivendita di pesce di suo padre, nel bel mezzo della Rue des Rosiers — dove, nella stanza sul retro, in mezzo alle ceste colme di freschi sgombri argentati e le alte bottiglie scure della salamoia, il rabbino Pult insegnava ogni sera a una classe di cinque ragazzi, fra i quali due dei fratelli di Joseph, Gabriel e Loup.

Joseph. Il nome del direttore era Joseph Brill. Ma era conosciuto soltanto come Principal Brill. Tutti lo chiamavano così. Soltanto la filantropica signora che svolgeva il ruolo di benefattrice della scuola aveva a volte osato chiamarlo Joseph; ma tutti gli altri, compresi i genitori dei bambini e gli insegnanti, persino i più anziani, lo chiamavano Principal Brill. Questo titolo, con la sua propulsione sincopata, veloce come una locomotiva che trascina vagoni scioglilingua, con la sua rapida vibrazione, attirava l'attenzione come un espresso in arrivo. L'incalzante ripetitività di quelle sillabe imperiose impregnava l'aria di civiltà e autorità.

Principal Brill incuteva timore e soggezione.

La via più rapida da casa alla rivendita di pesce di suo padre passava per Rue Vieille du Temple, che andava direttamente a sfociare nella Rue des Rosiers, con i suoi negozietti affollati, oscuri e fragranti di odori, e i marciapiedi brulicanti di fruttivendoli e venditori ambulanti di cibi secchi, con i carretti carichi di verdure e le grida dei venditori, nei dialetti degli immigrati da Kiev, da Minsk e dalla Lituania: una moltitudine attratta verso la grande capitale e roccaforte della libertà: Parigi, sorgente e fonte di *fraternité* e *liberté* — arrivando con diciotto secoli di ritardo, diceva il rabbino Pult corrugando in modo speciale le sopracciglia, i principi e le virtù civili di Hillel e Akiva. Dopo la scuola, Joseph veniva incaricato di spazzare e lavare le assi di legno della *poissonerie*, e cospargerle di segatura pulita; poi, all'imbrunire, doveva correre nella stanza sul retro per sistemare in fila le sedie in tempo per l'arrivo del rabbino Pult.

La passeggiata lungo la Vieille du Temple allietò Joseph per una primavera intera: un nome così nobile, un rispetto così grande per la devozione e i principi di un antico popolo — una via dedicata all'ormai perduto Tempio di Gerusalemme, depredato e ridotto in macerie! Disse questo, o qualcosa del genere, al suo compagno di scuola Jean-Lucas, che lo canzonò perché non aveva mai sentito parlare dei cavalieri Crociati. Jean-Lucas gli prestò un mucchio di libri con illustrazioni di castelli, di armature, di cavalli, di lance. Da quel momento Joseph cominciò a nascondere a suo padre e al rabbino Pult quanto trovasse di appetitoso in damigelle, e dragoni e cavalleria e addirittura nel Santo Graal, nome che a stento osava lasciar cogliere ai suoi occhi. Quelle storie affascinanti e gloriose essi le avrebbero giudicate frivolezze, idolatria. Sempre da Jean-Lucas, che aveva uno zio prete, Joseph raccolse un altro frammento del folklore del vicinato: come, molto tempo prima, ma soltanto qualche isolato più in là, nella Cloîture des Billettes, nella Rue des Archives, fosse avvenuto il miracolo del *Dieu Bouilli*. Un certo Jonathan il Giudeo, spiegò Jean-Lucas, che aveva rubato l'Ostia, il Corpo di Dio, la bollì e la pugnalò; allora l'Ostia pianse lacrime e lo supplicò di avere pietà con la voce stessa della Vergine. «Questo non può essere successo sul serio», disse Joseph; l'offesa era troppo assurda; dovette nascondere le sue lacrime di profano. «E invece è accaduto», insisté Jean-Lucas; «l'ha detto mio zio, e anche che l'hanno fatta pagare a tutti gli ebrei». Così Jospeh ebbe modo di rendersi conto che — malgrado la gratitudine da immigrante di suo padre per il privilegio della *égalité* — egli viveva in una città dove un tempo aveva avuto luogo un pogrom non dissimile da quelli del feroce villaggio zarista da cui erano fuggiti i suoi genitori; passeggiando, evitava il grande cancello degli Archives.

Ma c'era un altro palazzo che prediligeva nelle sue passeggiate — anche se non lo raccontava a suo padre o al rabbino Pult. Per raggiungerlo, bastava che girasse bruscamente a sinistra da Rue Vieille du Temple, in Rue des Francs Bourgeois, e attraversasse due incroci. Joseph era convinto che quella fosse la casa più graziosa del mondo. Si fermava sotto un archivolto e penetrava con lo sguardo in un cortile nascosto, fiorito, innobilito da sculture — come era piacevole, come era eccitante pensare che un tempo uomini in carne e ossa avevano dormito in normalissimi letti dentro quella deliziosa dimora! Ali di pietra cingevano il giardino; maschere di pietra ridevano dalla sommità dei portoni — ma Joseph non riconobbe questi simboli del carnevale. Tuttavia, fu pronto a intuire che si trovava di fronte a un'eleganza singolare, benché l'eleganza di per sé gli fosse del tutto estranea. In primo luogo, nonostante l'aspetto venerabile di quella casa meravigliosa, gli era chiaro che non si trattava di una chiesa — non solo perché non c'erano croci incise sulle porte, ma soprattutto perché non gli metteva paura. Una chiesa lo avrebbe certo spaventato. Le porte semplici e lucenti erano aperte in modo invitante. Joseph scrutò dentro quell'indistinto prodigio — immagini che passeggiavano lentamente, come sognatori vaganti, lo sguardo fisso alle pareti, i colonnati, i leoni, le misteriose dame di pietra. Poi corse via, verso la *poissonerie* in Rue des Rosiers e verso la sua ramazza.

Aveva un nome segreto per questa sua escursione: la chiamava «la via traversa». E lui seguiva sempre più spesso quella via traversa, allettato da quella bellissima casa e dalle sue sagome eleganti. Passarono sei mesi prima che scoprisse cosa fosse il Museo Carnavalet. E passarono altri sei mesi prima che riuscisse a trovare il coraggio di entrarvi. Ed infine passò quasi un anno prima che gli giungesse all'orecchio che era stata la dimora della stupefacente Madame de Sévigné, benché ancora non avesse capito chi fosse Madame de Sévigné, e perché avesse tanto stupefatto.

La prima volta che osò addentrarsi nel Museo Carnavalet, erano talmente tanti gli oggetti splendenti a ghermire la sua attenzione che temette, se avesse indugiato, di arrivare in ritardo per la ramazza e la segatura e le sedie; così fremette passando oltre i quadri, gli orologi, i bassorilievi, i piatti dorati e gli antichi e risplendenti costumi, ben deciso a scegliersi soltanto una dama di pietra da adorare e sognare e richiamare alla memoria. E lei era là, minuta, maestosa e radiosa, con un mento e una bocca talmente disposti alla vita da aspettarsi che le labbra trascolorassero nel rosa della carne e gli parlassero. Poi lesse la targa d'ottone e ne restò sbalordito. Quella bellezza di pietra era Rachele — chi, se non Rachele la Madre di Israele, Rachele che piange per i suoi figli mentre le passano davanti sulla via del lungo Esilio? L'unica stranezza, in quell'omaggio Gentile, era che quella Rachele di pietra non sembrava per nulla impensierita. Se fosse stata viva, probabilmente sarebbe scoppiata a ridere.

Quella notte, dopo che il rabbino Pult era tornato a casa (abitava proprio dietro l'angolo, in Rue des Ecouffes, sopra una *boucherie* kasher), Joseph confessò alla madre di aver ceduto alla tentazione di entrare in una grande casa, all'apparenza aperta al pubblico come un qualsiasi mercato, ma dove non si vendeva nulla, e di essersi imbattuto in una bella statua della Matriarca Rachele. Sua madre comprese all'istante il suo turbamento — lei sapeva cosa fosse un museo. Un palazzo pagano lo aveva adescato, un idolo lo aveva irretito. Un luogo simile doveva essere affollato da donne discinte scolpite nella pietra, offensive per il pudore e scandalose per la pietà. «Salvati dalla vergogna», lo ammonì; «stai lontano da un simile porcile». «Ma era Rachele, la Madre di Israele», protestò lui. «Un idolo è sempre un idolo», disse lei, e Joseph colse il fuoco nel suo sguardo.

Se ne tenne lontano, almeno per un po'; la sua coscienza era forte, e ronzava delle stesse inflessioni di sua madre. Ma la via traversa era sempre in agguato: si impadronì di lui senza che se ne rendesse conto, come se un'immensa calamita gli tirasse i piedi verso il numero 23 di Rue de Sévigné. Quando vi entrò per la seconda volta, il suo cuore batteva come quello di un ladro. Si sentiva come Jonathan il Giudeo — quale oggetto sacro stava per rubare, quale arcana benedizione che non gli era destinata? Non si spinse più in là del primo piano. Ora si trovava proprio all'interno dell'abitazione di Madame de Sévigné. Il suo letto era proprio lì, come tre secoli prima. Sapeva di essere un profanatore di tutti quei curiosi stucchi e modanature, di quegli specchi altrui, di quel grande letto. Un ampio corridoio conduceva nel suo salotto. Si addentrò ancor più in quel luogo estraneo, e si trovò faccia a faccia con Madame de Sévigné in persona: sua madre aveva praticamente avuto ragione — era quasi completamente nuda, fin proprio all'apice dei seni, dove il merletto formava una graziosa bordura. Le ampie maniche del suo abito erano intessute di perle — ah, finalmente, queste erano disposte in forma di croce. Il collo robusto era cinto da una ghirlanda di perle grosse abbastanza da somigliare a piccole rape e, sebbene la testa fosse un poco reclinata da un lato, si intravedeva all'orecchio lo scintillio di un'altra grossa perla. I capelli, con la spettrale veletta gettata all'indietro, erano una selva di riccioli, le sopracciglia morbide e ben disegnate, il naso privo di grazia (un po' troppo smilzo alla radice, un po' troppo rozzo alla punta), la linea della mascella si perdeva nella rotondità di un collo troppo grosso, nemmeno i polsi erano abbastanza esili

— ma le labbra e gli occhi erano ricettacoli d'arguzia; la piccola bocca imbronciata aveva appena inghiottito un *bon mot*, e già guizzava d'appetito per un altro. Più Joseph si lasciava assorbire da quel ritratto, più si sentiva inesplicabilmente a suo agio in quelle stanze, malgrado tutto quello spaventoso oro e argento. Poco lontano da Madame de Sévigné c'era un altro dipinto che sembrava far coppia col primo: era il ritratto di una donna più giovane, più altera, più fredda e molto più bella: la targa d'ottone annunciava che si trattava della Comtesse de Grignan, la figlia di Madame de Sévigné.

Fu soltanto diversi anni più tardi, quando aveva ormai passato la Senna alla volta della Sorbona, che Joseph apprese chi fossero quelle antiche donne ancora tanto vive. Secondo una fonte, la madre era «folle», amava la figlia in modo tanto ossessivo, tanto patologico, da consumarsi la vita vergando il proprio desiderio lettera dopo lettera. «Come mi piacerebbe ricevere una tua lettera!», scrisse una volta. «È passata quasi mezz'ora ormai da quando ricevetti l'ultima!». Questo non fece ridere Joseph. Era ormai fin troppo ardentemente francese. I francesi sono capaci di divertirsi, ma mai col broccato pesante della letteratura di Francia — e (come credere a una cosa tanto sorprendente?) Madame de Sévigné aveva forgiato la letteratura francese. «Da Carnavalet», lesse Joseph, «ebbe origine la prosa più pura e perfetta che sia stata scritta finora in terra di Francia». Dalla sua stessa via traversa! L'irragionevole passione di Madame de Sévigné per la sua mediocre figlia aveva convertito la prosa materna in elevata cultura e tesoro storico. Joseph non raccontò tutto questo al rabbino Pult, e tantomeno ai suoi indaffaratissimi genitori, sempre occupati a squamare e diliscare il pesce per ottenere quei lindi e immacolati filetti che adagiavano sul ghiaccio triturato, come filari di neve, questo perché lui potesse dissetarsi alla fonte della Civiltà Occidentale frequentando l'Università. Era uno studente serio e diligente, e si sentiva in qualche modo in dovere di preservare i genitori dal sospetto che la Civiltà Occidentale fosse qualche volta poco seria. Essi trovavano naturale che lui fosse immerso nello studio del Latino — le lingue classiche sono sempre serie — ma cosa avrebbero pensato di Catullo? *Viviamo mia Lesbia e amiamo... Dammi mille baci, e poi cento, e poi ancora altri mille...* un eone di distanza separava Catullo da Madame de Sévigné, ma che buoni amici erano! Joseph nemmeno rideva — piuttosto, provava cruccio e vergogna — al ricordo del colpevole abbaglio della sua fanciullezza: quando, durante la sua prima visita al Museo Carnavalet, aveva scambiato l'effigie di un'attrice, famosa per le sue babbucce rosse, le vigorose braccia levate al cielo e la voce appassionata, per la Rachele biblica. Era pur vero che anche la Rachele teatrale, la Rachele di *Fedra*, era stata un'ebrea; ed era una cosa mirabile che gli amanti Abelardo ed Eloisa fossero tumulati in un mausoleo del Cimitero Ebraico, e che Anatole France, con il suo commovente cognome, era forse stato un ebreo anche lui. La Francia — e specialmente Parigi — poteva permettere e persino adottare eventi tanto curiosi e casuali, ma le curiosità e le casualità non erano la Francia. La Francia sapeva cos'era, e lo sapeva anche Joseph, seduto a un tavolino di caffè a mordicchiare il suo panino portato da casa, con il libro appoggiato alla tazza del caffè. Non prendeva più abbagli del genere. Aveva in pugno il vicinato, non le bancarelle e i venditori ambulanti, ma i segreti della vecchia Parigi. All'angolo opposto della strada, di fronte al Carnavalet, in piccole stanze d'affitto ricavate da un'ala di un palazzo dove un tempo aveva abitato la figlia illegittima di Enrico II, Daudet aveva accolto Turgenev, Zola, Flaubert. Pochi passi più lontano, nella Place des Vosges, in una casa di mattoni rossi del diciassettesimo secolo, Victor Hugo si era curvato sul manoscritto dei *Misérables*: qualche porta più sotto, Rachele si era incipriata il pallido viso — l'attrice dalle babbucce rosse, non la Madre d'Israele. Richelieu aveva occupato il numero 21. Era una passeggiata facile, scendendo a zigzag dalla pescheria in Rue des Rosiers attraverso la Rue St. Antoine fino alla Bastiglia: il punto preciso dove aveva inizio la modernità.

L'Università gli suscitò il desiderio di cambiare accento — impregnato, scoprì Joseph, degli odori dei negozi di Rue des Rosiers. I suoi nuovi amici, che abitavano negli *arrondissements* a ovest o a nord, non facevano risuonare le vocali come faceva lui; era umiliante essere figlio di un immigrato e riempirsi la bocca del rumore sbagliato. Ogni sera Joseph si sfregava via dalle mani la puzza di pesce con un sapone abrasivo che gli scorticava le nocche senza pietà.

Per un po' studiò letteratura — le sfumature di Verlaine lo facevano impazzire di gioia idolatra; sguazzava in Gide e Montherlant — ma poi si accorse che proprio la gioia era inescusabile. Si vergognava, di fronte ai genitori, di queste sue letture estatiche, inutili. Suo padre era più comprensivo di sua madre; qualche volta lo aveva sentito osservare a proposito delle squame iridescenti del comune merluzzo che un pesce poteva trasformarsi in un mosaico di arcobaleni. Forse suo padre non disprezzava del tutto i romanzi e la poesia. Ma sia suo padre che sua madre esaminavano preoccupati i suoi libri — di cosa si tratta, cosa significa, e come ci si può guadagnare da vivere con simili banalità? «*Futilité*», diceva sua madre. «*Narishkayt*», diceva suo padre — ma non senza un certo gesto malinconico del coltello con cui squamava il pesce.

«La tua famiglia vorrebbe che i tuoi interessi fossero più cosmici», lo canzonava il suo nuovo amico Claude; il padre di Claude era direttore di una azienda automobilistica della quale erano azioniste certe vecchie prozie tutte imbellettate. Certe mattine Claude lo conduceva al Louvre — un luogo magnifico dove Joseph non era mai entrato prima — gli mostrava i dipinti più scuri e vi dissertava sopra; Claude era un esteta. Ma era anche un pragmatico: conosceva tutti i caffè che era bene frequentare, sapeva quali argomenti si dovessero disinvoltamente escludere dalle conversazioni elevate, e quali lezioni fosse meglio evitare per la loro noia sovrumana. Claude riuscì a farsi invitare insieme a Joseph a una cena offerta dal vecchio Borys Korzeniowski-Conrad, il figlio maggiore del romanziere, giunto dall'Inghilterra per far visita a certi conoscenti polacchi in Rue Caulaincourt. L'inglese di Joseph non era affatto fluente, e il francese di Korzeniowski-Conrad aveva lo stesso suono del suo inglese — più tardi Claude gli spiegò che il vecchio Borys aveva parlato a lungo dell'irritabilità e del torvo cipiglio di suo padre. In tutta la cena, Joseph aveva capito una cosa sola, che il vecchio Borys aveva trovato la minestra troppo salata, e tutti gli altri ospiti si erano detti immediatamente d'accordo. Quanto a Joseph, non aveva assaggiato né la minestra, né le altre pietanze. Si era limitato a masticare nervosamente un pezzetto di pane. Un'altra volta Claude aveva detto a Joseph che sarebbe stato divertente andare in visita da un anziano scrittore a Londra e che avrebbe pagato per entrambi se lui avesse accettato di accompagnarlo. Ai genitori di Joseph sembrò un'avventura scriteriata, senza scopo, varcare la Manica soltanto per sedersi su uno scomodo sgabello ad ascoltare un inglese che declamava un manoscritto inedito in una lingua barbara e incomprensibile; e sua madre si infuriò ancora di più quando seppe che Claude avrebbe pagato per entrambi. «Ti indebiterai», lo ammonì. «No», ribatté Joseph, «ha insistito perché io non gli restituisca il denaro; dice che va bene così». «Allora, sarai peggio che indebitato». Ne discussero per giornate intere, ma alla fine Joseph partì.

La Manica era così mossa che Claude non voleva nemmeno salire sul ponte, e fece stare Joseph giù con lui, a leggere. Per il suo compleanno, Claude aveva regalato a Joseph una traduzione inglese della *Aphrodite* di Pierre Louÿs. «Così potrai esercitare il tuo inglese da troglodita e, nello stesso tempo, lasciarti alle spalle quella stupida verecondia israelita!». In quel periodo anche Claude si era entusiasmato a Paul Valéry, e stava leggiucchiando un capitolo di *Variété*. «Ascolta questo», gli disse dalla sua cuccetta, dove si era raggomitolato. Joseph si avvicinò al letto dell'amico e scrutò nel libro che lui teneva fra le mani. «Ascolta come descrive gli schizzi di nudi, di Leonardo: *Qua e là ha disegnato unioni anatomiche, orribili spaccati dell'amore. L'ambito che predilige è la meccanica dei corpi in movimento ed egli è affascinato dalla macchina erotica.* Orribili spaccati, Joseph! La macchina erotica, Joseph!». La cabina si inclinò, sbalzando Valéry dalle mani di Claude e *Aphrodite* da quelle di Joseph, e catapultando Joseph prima contro il basso soffitto, e poi più o meno fra le braccia di Claude; sembrava che fossero entrambi confinati dentro un'enorme culla dondolante. Joseph si sentì a disagio; era Claude che cercava di abbracciarlo da dietro oppure era lui che, da buon amico, gli impediva di rompersi il collo? Cominciò ad avvertire un certo mistero in Claude, nel cui letto stranamente accogliente, durante quell'ultimo frenetico rollio era stato gettato o era caduto o forse era stato attirato di proposito.

Nel tranquillo salottino londinese riscaldato, nonostante la stagione, da un caminetto che bruciava gas invece di legna, Claude dimostrò di conoscere non solo l'anziano scrittore — al quale i soffici baffi e la schiena curva davano l'aria di un gallo cedrone alquanto guardingo ma austero — ma anche altri invitati in numero sorprendente. Joseph rimase colpito dall'assenza di donne, e che alcuni dei giovanotti presenti si tenessero per mano. «È un passo tratto da un libro che non pubblicherà mai da vivo», sussurrò Claude; poi prese la mano di Joseph. Joseph ne fu inorgoglito: ammirava Claude, il suo accento, le sue altezzose vecchie prozie, la sua curiosità per tutto ciò che è sensuale, la sua venerazione per le belle cose e le belle parole, la sua abilità nelle lingue straniere. Il guardingo ma austero gallo cedrone stava declamando ad alta voce:

Egli vide i loro piccoli visi: ricettacoli di purezza. I loro visi non sarebbero mai stati trascinati qua e là come una vecchia borsa di corda. Una repubblica a parte, i suoi pupilli, pupilli del suo cuore, pupille dei suoi occhi. Egli vedeva mediante le loro membra tornite e innocenti. Essi erano i suoi alberelli: rami e virgulti umidi di rugiada. I filari squisiti dei suoi ragazzi gli rammentavano quegli orticoltori giapponesi che coltivano grandi querce riducendole in alberi nani contenuti in vasi non più larghi del palmo di una mano. Come quei giardinieri appassionati, anch'egli sapeva cosa significasse curare amorevolmente il deliziosamente gracile. I suoi pigmei: sarebbero sempre rimasti miniature, non si sarebbero mai elevati ad agitare le chiome frondose fra gli alti alberi. Essi erano la sua nazione prescelta e benedetta, la sua repubblica pigmea. Non si sarebbero sposati. Lui non avrebbe mai saputo della morte di alcuno di loro. Non avrebbero mai sfiorato donne né cadaveri. Raramente avrebbero conosciuto il dolore. Non avrebbero mai fruttificato. Sarebbero rimasti rosei e imberbi per l'eternità.

Era un brano modulato con eleganza e letto meticolosamente, il modello attorno al quale si plasmava la vita stessa di Joseph. Con curiosità e gentilezza, l'anziano scrittore chiese di essere presentato a Joseph. Joseph protestò che il suo inglese non era abbastanza buono, che non aveva capito tre quarti della storia. «Sei un ragazzo ebreo, non è vero?», domandò l'anziano scrittore. Joseph rispose di sì. «Allora sta' tranquillo. Sei dalla parte di Demetra, benché tu non la riconosca. Diventerai un insegnante. E ti sposerai. Claude», disse l'anziano scrittore, passando le dita — con quanta tenerezza! — fra i capelli scuri di Joseph, «questo giovane Davide si sposerà, tienilo a mente».

«Il tuo eroe londinese si crede un oracolo», Joseph si lagnò con Claude sul treno che li riportava a casa. «Io non voglio aver nulla a che fare con l'insegnamento». Ma Claude era depresso. Si era fatto riservato, taciturno. La traversata fino a Calais fu molto più tranquilla che all'andata. Rimasero insieme sul ponte, sferzati da un vento impetuoso e costante, e Joseph sapeva ancor prima che accadesse che Claude l'avrebbe baciato, e in modo speciale, non come ci si bacia virilmente fra amici. In realtà Joseph non aveva mai baciato nessuno prima d'allora se non suo padre e sua madre, le sorelle e i fratelli. Non era sicuro che gli fosse piaciuto; ne fu terribilmente spaventato; lo fece pensare al Levitico.

Da quel momento si tenne lontano da Claude. Claude reagì in modo sprezzante, e lo soprannominò Dreyfus e indusse gli amici a chiamarlo Dreyfus. Joseph si trovò nuovamente isolato; scoprì che per lui era più difficile trovarsi degli eroi letterari di quanto non fosse per Claude. Non ci si poteva fidare nemmeno di Voltaire; anche Voltaire disprezzava il Levitico. Con riluttanza, Joseph riferì queste nuove al rabbino Pult. Il rabbino Pult non ne fu per nulla stupito. «Cos'è l'Illuminismo?», disse il rabbino Pult. «Joseph, l'Illuminismo concepì un nuovo slogan: Dio non esiste, e gli ebrei l'hanno ucciso. È questa l'eredità del tuo Illuminismo, Joseph». Così Joseph abbandonò la letteratura e la storia, quel lato della mente che, per quante immagini e luminarie vi si possano appendere, resta sempre una caverna brulicante di sagome bestiali; cercò un luogo incontaminato. Rivolse la mente oltre il pianeta; pensò alle stelle. I suoi genitori furono molto compiaciuti quando vennero a sapere che egli aveva intenzione di studiare «la disciplina più universale di tutte» — pensavano che intendesse la medicina, l'arte di risanare ferite e dolori. Ma lui pensava all'opposto: alla distanza. Era nauseato dell'umana avventura. Aveva sperimentato un calore inconoscibile e ne aveva paura. Lo aveva tradito e soprannominato Dreyfus. Si iscrisse al corso del temibile Georges Gaillard, lo scopritore della Teiera di Gaillard — *La Théière du Gaillard* — e si apprestò a studiare i freddi, freddissimi cieli.

Il lago — o almeno così apparve a Joseph Brill la prima volta che fissò lo sguardo nella sua infinita grigia foschia — era grande quanto il Mediterraneo. Lo colpì la riva sabbiosa, come quella del mare. La sabbia e le onde — onde prive di sale, sinuose e pure — lo stupirono: astronomo o no, non gli era mai capitato di pensare che le acque della terraferma, le acque interne, per così dire — le acque mediane — fossero anch'esse soggette alla luna, e lambissero, ricadessero e si increspassero in bianche creste di gallo, esattamente come le acque più esogene del pianeta. Il lago era un oceano interno: uccelli stridevano perforandone l'azzurro, conchiglie spuntavano come unghie di piedi lungo le sponde. Avrebbe potuto ospitare persino un drago acquatico.

L'abitato umano incorniciava il lago (anche se invisibile: Joseph Brill avrebbe potuto descrivere soltanto l'arco di spiaggia su una sponda, niente di più; al resto della cornice doveva credere sulla parola), e anche in questo assomigliava al Mediterraneo, antico acquitrino d'Europa. Ma l'antico acquitrino d'Europa lambiva le isole della Grecia, e il grinzoso stivale della penisola italiana, e Jaffa, la dolente città portuale che la nave di Giona si lasciò alle spalle e, specialmente, l'ardente e fertile sottogonna di Francia, la carnevalesca città di Nizza. Dovunque l'antico acquitrino d'Europa lambisse, lambiva storia, antichità, avvenimenti. Qui nulla era avvenuto.

Così la scuola era arida e antiquata, abbandonata a invecchiare nel bel mezzo dell'America — «il bel mezzo dell'America» era la frase che più spesso veniva in mente al Direttore Brill quando doveva preparare il suo discorso per la Cerimonia Inaugurale dell'anno: questa medianità, e ciò lo affliggeva nell'intimo, era la causa della mediocrità, o peggio, dell'architettura della scuola. La scuola elementare Edmond Fleg aveva la struttura lineare di un treno merci in movimento: tre sventurati vagoni. Il primo, «la parte vecchia» era una costruzione in mattoni rossi; gli altri due, che avevano meritato il più onorevole appellativo di «ala nuova», erano stati costruiti con grossi, scuri blocchi di cemento. Tutti e tre erano allineati in fila, come se fossero diretti da qualche parte, benché non ci fosse nessun luogo dove andare se non una selvaggia distesa di praterie. L'architetto dell'ala nuova era stato tanto ingenuamente americano da non aver certo immaginato, Joseph Brill ne era convinto, dei vagoni merci; ma proprio dei vagoni merci diretti a oriente avevano portato via la madre e il padre di Joseph Brill, i fratelli Gabriel e Loup, le sorelline Michelle e Louise (che si era cambiata nome, tutto da sola, da Leah che era), e la più piccola Ruth, e avevano scaricato le loro anime in un campo di cenere. Di quando in quando gli capitava di trovare sui giornali fotografie di quella distesa di ceneri umane: vi erano spuntati innumerevoli fiori, che agitavano le luminose corolle. Gli era facile, quando osservava la rettilinea marcia della sua scuola, la parte vecchia più alta e più larga e più luminosa dell'ala nuova, e l'ala nuova che la seguiva con la sua angusta e oscura duplicità, pensare ai vagoni.

La parte vecchia era stata un tempo una fabbrica di mobili — adibita esclusivamente alla produzione di sedie — di proprietà di una famiglia di nome Bristol. Sprofondati nella sabbia c'erano ancora i resti di un vecchio pontile, dove usavano attraccare i rimorchiatori adibiti al traino delle grandi chiatte da carico — chiatte che trasportavano sedie imballate a nord fino a Port Arthur, e a sud fino a New Orleans, e poi in treno per tutto il Nord America. Sedie di ogni forma e tipo erano venute alla luce in quegli squallidi stanzoni, sotto quelle finestre alte ma soffocantemente strette, come feritoie rettangolari attraverso le quali si poteva intravedere il cielo e il lago. Nessun altro marchio originale era popolare quanto quello delle sedie Bristol. Uno di questi modelli Bristol, uno di particolare distinzione (si trattava della versione con il mappamondo, ma senza la croce), faceva mostra di sé nell'ufficio del direttore, proprio dietro la sua scrivania; scolpita in caldo legno di ciliegio, aveva otto fusi posteriori (che la faceva somigliare un po' alle sedie in stile Windsor), le solite quattro gambe, ma piegate in fuori (anche questo come le Windsor), ma un unico bracciolo, che terminava in modo quasi repellente nell'esatta copia in legno di una mano. La mano era resa con sorprendente fedeltà, ed elevava l'intero oggetto al rango di una sorta di scultura: ma era ciò che la mano era destinata a sostenere che distingueva in modo particolare la sedia Bristol del periodo migliore. Spesso la mano impugnava una torcia da maratoneta, nella quale poteva essere inserita (quando queste cose rappresentavano ancora una novità) una lampadina elettrica. In altre versioni la mano era dotata di una ciotola di legno con frutta artificiali, inclusa una mela di vetro che risplendeva di luce dorata grazie all'inserimento di una lampadina; oppure un mappamondo di vetro dipinto, illuminato dall'interno ancora da una lampadina, con una croce di legno trionfante sulla sommità.

Ma tutto questo accadeva molto tempo prima. Quando arrivò Joseph Brill, la parte vecchia era un edificio industriale abbandonato, distante pochi metri da una stalla abbandonata, che una volta aveva fatto parte di una fattoria abbandonata. Già allora la fattoria non c'era più: una folgore, saettata fuori dal lago l'aveva incendiata; poco lontano, le nude sagome di tronchi carbonizzati erano tutto ciò che restava di un boschetto di liriodendri. Da queste rovine, in parte di mattoni, in parte annerite, annegate nel verde, sorse la scuola elementare Edmond Fleg.

Sorse in parte grazie all'ambizione di una ricca benefattrice, in parte sulla base di una teoria. La teoria era di Joseph Brill. Non si trattava di una teoria nuova — nella storia degli ebrei nessuna lo è — ed era quel genere di teoria che abitualmente ha origine nella musica: Bach, ad esempio, dal quale nessun animo umano desidera essere escluso. Ma Joseph Brill aveva cominciato a dipanare il primo bandolo di quella teoria fra le mura di una scuola (non questa), durante la guerra, quando sua madre e suo padre e i fratelli Gabriel e Loup e le sorelline Michelle, Louise e Ruth erano già stati deportati. Non aveva mai saputo cosa ne fosse stato delle sue tre sorelle maggiori — le ABC, come usava chiamarle: Anne, Berthe, Claire. Erano ragazze vigorose e piene di risorse. Anche lui (ma era una lunga storia, e non amava raccontarla spesso) era stato nascosto per un certo periodo da quattro monache nella cantina della scuola annessa a un convento. Anche le monache erano a modo loro delle idealiste; in primo luogo, erano vegetariane. Il loro linguaggio era così antiquato da essere quasi arcaico. I suoi unici compagni nella cantina erano i topi innumerevoli e i libri ammassati su una bassa piattaforma per preservarli dall'umidità del pavimento. Lesse tutto indiscriminatamente. Le quattro monache cospiratrici che l'avevano nascosto erano convinte che, con l'aiuto di Dio, sarebbero riuscite a convertirlo al cristianesimo; lo nutrivano come potevano, e lasciavano che la sua anima si nutrisse da sola. Fra di loro lo chiamavano *l'astronome*, e si scusavano con lui per averlo rinchiuso dove non poteva vedere le stelle. Egli si scusava con loro per il secchio di escrementi che erano costrette a portar via ogni giorno. Quando era malato — e accadeva spesso, a causa dell'umidità, e allora il bugliolo doveva essere svuotato molto più frequentemente — le monache non potevano portargli un medico, ma gli preparavano un thermos di brodo per «aiutarlo a passare la notte» — come se in quella perpetua oscurità avesse potuto distinguere il giorno dalla notte. Nell'intimo dei suoi pensieri, Joseph chiamava quel luogo e la sua condizione *nox perpetua*, e teneva acceso il suo piccolo lume anche durante il sonno. L'oscurità era una condanna, terribile, e permanente, anche se sarebbe venuto il giorno in cui l'avrebbe ardentemente desiderata. Leggeva come un pazzo. Erano per lo più logori libri di scuola e di catechismo; ma non gli importava affatto cosa leggeva. Dopo un periodo imprecisato di queste letture — il tempo era amorfo — le sue quattro salvatrici cominciarono a trascinare giù una biblioteca vastissima e allettante, e tutto nel giro di quella che sembrò essere all'incirca una settimana, affaticandosi per gli oscuri scalini di pietra sotto l'instabile peso di casse sempre più ingombranti, finché la sua cuccetta non fu circondata da un dedalo di casse, ognuna colma fino all'orlo di libri, ma accatastati alla rinfusa senza ordine alcuno. Un vecchio prete, erudito protettore del convento (vi erano state educate le sue sorelle), era morto poco tempo prima. Le monache ne erano molto orgogliose — era stato un intellettuale, ben più che un semplice uomo di chiesa, benché fosse stato anche questo — ed erano soddisfatte dell'incarico temporaneo di occuparsi delle sue proprietà spirituali. La sua biblioteca era più che notevole; era addirittura insolita. Il vescovo le aveva incaricate di selezionare e catalogare con comodo. Le monache capirono che il vescovo desiderava che lo sollevassero dalla pesante eredità dell'anziano prete, che aveva avuto la pericolosa reputazione di essere eccessivamente liberale. L'eredità di quell'anziano prete preservò la sanità mentale di Joseph Brill; giunse a questa conclusione molti anni più tardi.

«Persi la testa», avrebbe raccontato, «ma senza impazzire; semplicemente acquisii la testa di qualcun'altro per un certo periodo». L'anziano prete aveva letto (e questa fu una sorpresa) romanzi e testi teatrali. Fra le pagine di un volume di Corneille sontuosamente rilegato in pelle verde scuro, Joseph scoprì una misteriosa poesia stilata con grafia impetuosa, in due lingue, opera (pensò) dell'erudito prete:

Mon âme de serre grossit
comme une grenade d'hiver
qui va éclater.
Rupture de semence
tourbillone le clair ruisseau.
Comme le cerf abbatu dans le veld
le ruisseau rouge saigne
pour contenter ma soif.

La mia anima di serra si gonfia
come d'inverno una melagrana
prossima a scoppiare.
Uno sprizzare di semi
turbina il limpido ruscello.
Come il cervo abbattuto nella radura
il ruscello sanguina rosso
per soddisfare la mia sete.

Forse che questo significava religione, o amore, o qualche altro turbamento? C'erano pile di volumi di poesia — grato Joseph si era offerto di classificarli — e anche di filosofia e teologia. A poco a poco gli fu chiaro che l'anziano prete aveva amato il pensiero più di quanto avesse amato Gesù; Gesù era soltanto uno dei suoi pensieri; non era sempre vissuto in stato di piena fede. Un giorno (o più probabilmente una notte, dato che nessuno gli aveva portato da mangiare) Joseph disseppellì uno strano libro. Era impossibile distinguere se fosse ebraico o cristiano. Il titolo era *Jésus, raconté par le Juif Errant*, di un certo Edmond Fleg; ne cadde fuori un fragile pezzetto di carta dove, sempre nell'alfabeto antiquato e svolazzante del prete, era trascritta una citazione da Heinrich Heine: *Le lucertole di una certa collina hanno riferito che le pietre si aspettano che Dio si manifesti in mezzo a loro in forma di pietra*. Che beffa! E chi era Edmond Fleg? Joseph tuffò le mani (come si erano fatte doloranti nella prigione sotterranea che era il suo rifugio, le nocche spesso sanguinanti) in un volume dopo l'altro, tossendo d'impazienza: cosa altro aveva scritto Edmond Fleg? Era stato un cristiano o un ebreo? A quale universo era appartenuto? Dopo un po' Joseph rinvenne quattro o cinque volumi di teatro: il titolo che più attirò la sua attenzione fu *Le Juif du Pape*. Lo lesse d'un fiato: raccontava un incontro fra il Papa Clemente VII e Solomon

Molcho, il visionario marrano condannato al rogo dall'Inquisizione. Poi si imbatté in un libriccino lirico, che pareva autobiografico, intitolato *L'Enfant propheté*: scoprì che gli itinerari metafisici di Fleg andavano dall'agnosticismo fino al risveglio di simpatie ebraiche, ma attraverso un Gesù ebreo. Apprezzò di più la traduzione francese, fatta da Fleg, del *Giulio Cesare*. C'era dell'altro. Il vecchio prete era stato un collezionista, un ammiratore di Edmond Fleg. In margine a *Pourquoi je suis Juif* c'era ancora un altro campione della grafia e del pensiero del vecchio prete:

L'impulso divinamente unificante degli Israeliti e la loro ispirazione etica sono i fondamenti stessi della nostra intelligenza. Edmond Fleg riesce a conciliare ogni sua intuizione, senza sacrificarne nessuna. Egli armonizza la coccarda della Legion d'Onore che porta all'occhiello con le bende dell'Alleanza che gli cingono la fronte.

Annotazioni analoghe si susseguivano nelle pagine di *Ecoute Israël*, che sembrava una sorta di ciclo poetico, e di un lungo saggio, *Ma Palestine*. Nel giro di un decennio, più o meno, Edmond Fleg, *né* Flegenheimer, si era trasformato da scettico drammaturgo e (immaginava Joseph) raffinato boulevardier parigino, in un ebreo che si strugge per Gerusalemme. L'anziano prete aveva spesso indugiato dentro l'anima di Edmond Fleg. Joseph ripensò al rabbino Pult.

Era stato portato via proprio la mattina dopo che lui aveva pernottato nell'appartamento del rabbino Pult in Rue des Ecouffes, aiutandolo a imballare i suoi libri. A differenza dei genitori di Joseph, il rabbino Pult si stava preparando a partire per un viaggio. Come regalo d'addio aveva lasciato a Joseph la sua vecchia cartella sgualcita, con dentro un tesoro: un'antica copia stampata a Venezia del trattato *Ta'anit*, che il rabbino Pult aveva ricevuto dal suo maestro, e che ora passava a Joseph per rinnovare il vincolo fra maestro e allievo, un vincolo destinato a perpetuarsi fino agli orizzonti del più remoto futuro — «Tu diventerai un insegnante», annunciò a Joseph, proprio come aveva fatto l'anziano scrittore londinese. Ma Joseph era ormai avviato per la sua strada; era tutto preso dal corso di perfezionamento ed era stato assistente di Gaillard all'osservatorio astronomico, fino a quando Gaillard stesso non aveva suggerito che forse, dati i tempi, era meglio di no. Malgrado la sua intimità con le galassie — «le orbite sono livellatrici dell'umanità, non leve della politica» era il suo motto; e lo diceva in inglese, per sottolineare il gioco di parole fra *level* e *lever* — Gaillard aveva cominciato ad avvertire un profondo disagio nei rapporti con i suoi studenti ebrei. Aveva un cognato in un importante ministero del governo di Vichy. Joseph avvertì quanto fosse ingenua nel complesso la visione del futuro del rabbino Pult — come se, in un'Europa del genere, potesse avere un qualche futuro. Proseguirono il lavoro d'imballaggio in silenzio, riempiendo valige. La biblioteca del rabbino Pult era meno ricca di quella del vecchio prete, più compatta, meno dispersiva; con la sua austera densità, non era certo un banchetto. Era come una cucchiaiata di oceano: tutti gli elementi esistenti nell'oceano sono presenti anche nel cucchiaio. Per di più, non c'era un solo volume in francese. Agli occhi del rabbino Pult il futuro restava limpido come sempre: era lo spazio immacolato nel quale sarebbe intervenuta l'azione redentrice del messia. A volte Joseph immaginava una conversazione fra Galliard e il rabbino Pult sul tema dei cieli. Quanto poco istruiti si sarebbero giudicati l'un l'altro! La consapevolezza che il lavoro all'osservatorio proseguiva benissimo anche in sua assenza amareggiava Joseph.

Al sopraggiungere del mattino, il rabbino lo rispedì a casa. Stava accadendo qualcosa: tutte le strade che si irradiavano dalla Rue des Rosiers erano in tumulto, invase dai poliziotti. Era ancora troppo presto perché suo padre avesse già aperto la *poissonerie*; lo avrebbe avvertito di tenersi lontano da quella confusione. A mano a mano che si avvicinava alla sua casa in Rue de Poitou — correndo come un pazzo — le grida e il tumulto cominciarono ad affievolirsi. La tromba delle scale era quieta, quasi addormentata. Salì di corsa le tre rampe e trovò tutto tranquillo, ogni cosa al suo posto — il pane sul tavolo, in parte affettato, il coltello abbandonato muto su un piatto pulito. Se ne erano andati tutti. La calura estiva baluginava dalla finestra aperta. Tornò di volata in Rue des Ecouffes, la vecchia cartella del rabbino Pult con dentro il *Ta'anit* stretta nel pugno intorpidito; non sapeva cosa stesse facendo, o perché. Nei venti minuti trascorsi da quando aveva lasciato la Rue des Ecouffes a quando vi era tornato, fuoco e vapore avevano trasformato il mondo: la vetrina della *boucherie*, sotto l'appartamento del rabbino Pult, era in mille pezzi. Sentiva l'impulso irresistibile di gridare che la sua famiglia era scomparsa (ma non sapeva cosa stesse facendo o perché); giunto alla porta del rabbino Pult, la trovò divelta dal cardine superiore, paurosamente oscillante. In casa non c'era nessuno. Tutti i libri che avevano sistemato nelle valige la notte precedente erano ammassati al centro della stanza. Alcuni erano ridotti in cenere, altri soltanto bruciacchiati. Gli invasori avevano acceso un falò, se lo erano goduto per un po', poi l'avevano spento. Una pozza d'acqua gocciolava ancora dal centro della pira, mentre dai bordi esalava una diafana spirale di vapore. I libri morti emanavano un forte odore di rovina, fuoco, pelli di animale, una nebbia fetida. Per le strade creature simili a centauri razziavano e saccheggiavano, brandendo mazze, bastoni, pietre, spranghe. Metamorfosi e trauma. Zanne, zoccoli, strane pelosità. Uniformi dappertutto. Nobile gioventù francese. Gendarmi, poliziotti, studenti della scuola di polizia con la faccia da bambini, centinaia di camicie azzurre e bracciali con l'emblema della croce. I ghetti di Parigi, una desolazione. Il sudore gocciolava da dietro le orecchie di Joseph fin dentro il pozzo delle clavicole: era luglio. Si precipitò di nuovo verso casa per prendere qualche indumento; poi rinsavì di colpo: tornare indietro era una follia. Allora corse, corse senza sapere dove; corse. Gruppi di gente si dirigevano verso la Senna e i ponti; cambiò direzione e corse in senso opposto. Un bruciore urlava in gola; il dolore gli martoriava le costole. Scoprì che stava pregando per le sue tre sorelle maggiori — ma ciò che sembrava preghiera esalante dai polmoni era soltanto respiro affannoso e male alla gola. La sua rinata ragione lo consigliò di fermarsi. Ma le gambe non ubbidivano. Allora ordinò loro di mostrare dignità, impavidità, di allentare il passo, di deambulare, di bighellonare, di camminare. Con passo crudelmente disinvolto, il sangue che gli turbinava nelle vene del collo, vagò per Parigi, di cui era la preda, rammentando alla sua mano intorpidita che avrebbe dato meno nell'occhio lasciando oscillare la cartella del rabbino Pult contenente il *Ta'anit* veneziano, piuttosto che stringendola convulsamente. Spinse il *Ta'anit* in su — madre! Poi, un altro passo spietatamente lento, e in giù — padre! Fratelli! Sorelle! Stava nuovamente correndo. Le ABC avevano disertato l'appartamento in Rue de Poitou un mese prima, per andare a lavorare in fabbriche diverse; avevano parlato di andarsene in Svezia, o addirittura in Inghilterra. Il rabbino Pult, invece, aveva parlato soltanto di «fare un viaggetto». Joseph, ansimando e pregando, con la gola turgida, cercò di immaginarsi le ordinate cittadine di insediamento in Polonia dove stavano per essere condotti i suoi genitori, i suoi fratelli e le sue sorelline: forse Ruth, che aveva soltanto due anni, avrebbe dimenticato completamente il francese, e sarebbe cresciuta parlando polacco. Ma era troppo lucido per credere a queste cose. Tuttavia, non avrebbe potuto nemmeno sognare dove si trovava in quell'istante la sua famiglia: distante non più di mezzo miglio, dopo essere stata ammassata e condotta insieme con altri novemila dentro il Vélodrome d'Hiver, uno stadio sportivo del quindicesimo *arrondissement*, del quale aveva intravisto i bastioni soltanto mezz'ora prima, illuminati dalla luce color miele del sole mattutino. Si era ormai allontanato troppo per trovarsi fra quegli onesti cittadini che potevano udire, oltre le mura del Vél d'Hiv, i lamenti, i gemiti e i singhiozzi crescere con la calura del giorno. Non sapeva che sua madre, suo padre, Gabriel e Loup, Michelle, Louise e Ruth avrebbero vissuto una settimana rinchiusi là dentro, senza cibo né servizi igienici, all'aperto, pigiati corpo contro corpo, sotto un sole divorante, accovacciati o carponi fra gli svenuti e i morenti, giorno dopo giorno, il pianto dei neonati che cresceva e non si affievoliva mai, fino al terrificante, illusorio sollievo all'arrivo dei camion — e poi la brutale sosta a Drancy, e poi ancora su sui vagoni, e poi giù di nuovo, e via i vestiti, e la corsa verso le false docce. In Polonia.

Per tutto quel giorno e i giorni che seguirono, mentre Joseph vagava per il sembiante di Parigi, vagava e faceva dondolare il *Ta'anit* veneziano, e poi sbottando in una corsa, e poi ancora dondolando e vagando, la sua piccola sorellina Ruth, rinchiusa nel Vél d'Hiv, strillava e strillava; ma lui non sapeva, né udiva. Si costrinse a pensare a lei che cresceva senza avere in bocca il limpido mormorio della lingua francese, in Polonia; si costrinse a pensare alle ABC in Svezia, in Inghilterra; si costrinse a pensare al rabbino Pult; si costrinse a pensare a Joseph Brill, un fuggiasco, temporaneamente finito in un buco della griglia di retata e cattura, cattura-morte. Morto.

Non fu catturato; la sua vita era un miracolo, e se ne stava miracolosamente a suo agio in un rifugio sotterraneo, a sguazzare nell'imponente biblioteca del vecchio prete. Era proprio come guazzare nel fango, questo eterno riposare, questo eterno leggere, questo eterno Fleg, questa indulgenza senza fine di essere vivo e non catturato. Per circa un giorno si volse a Sant'Agostino. Assaggiò Rousseau. Raramente dava un'occhiata al *Ta'anit* del rabbino Pult — non gli piaceva aprire la dolcezza di quelle lettere dentro quell'odore. Era odore di cantina; era l'odore della sua prigionia e del suo bugliolo. Ma a volte aveva anche la sensazione che le monache, quando venivano a portargli la cena di pane e formaggio e i loro sorrisi, recassero anche nelle loro tonache l'odore delle candele: un bruciare senza sosta, un alone di fumo. La pira. Non riusciva a respirare quando gli erano accanto. Portavano via il bugliolo per svuotarlo; gli elargivano cibo e sorrisi fissi, fissi come in un grido ininterrotto, ma ovviamente erano compresse da un silenzio immenso, e Joseph le immaginava altrettanto silenziose, anche nel normale mondo della luce, ai piani superiori. Il silenzio era nel loro abito e nel loro portamento. Quasi mai gli parlavano di un pericolo, vicino o scampato per poco, ma lui l'annusava ugualmente nei loro sorrisi. Non aveva proprio idea di come riuscissero a tenerlo nascosto.

Gli portarono una radio; se ne aveva voglia, poteva seguire la guerra. C'era soltanto una presa elettrica: o la lampada o la radio. Nell'oscurità sentiva inveire contro gli ebrei, e preferì la lampada — era entrato in intimità con il nomade intelletto del vecchio prete, e tornava a immergervisi non appena la monaca che gli badava lo lasciava solo. Le sussurrava dietro i ringraziamenti. Ringraziava le sue monache ogni volta e per ogni istante: ogni istante era la sua vita. Per nascondere la faccia scura e volgare della radio (con le manopole simili a occhi crudeli), vi appoggiò sopra il *Ta'anit*. Notò allora che il *Ta'anit*, anch'esso rilegato in pelle, anch'esso verde scuro, si accordava quasi perfettamente con il volume di Corneille del vecchio prete — a prima vista non si notava alcuna differenza. Quasi formavano una coppia.

In quell'istante fu folgorato dalla sua idea. Se non lo avessero scovato, se fosse rimasto vivo, se la guerra fosse finita e lui fosse sopravvissuto, avrebbe adempiuto all'esortazione del rabbino Pult e alla profezia dell'anziano scrittore: sarebbe diventato un insegnante, si sarebbe sposato, e avrebbe unificato le sue due anime. Capiva di averne due. In questo era simile a Edmond Fleg. *Raccoglieva tutte le sue visioni senza sacrificarne alcuna.*

Così fu che Joseph Brill, imprigionato in una scuola, pensò di fondare una scuola. Era un'idea infinitamente remota, intricata e seducente — una scuola governata secondo il principio di due nobiltà gemelle, due tradizioni gemelle. La fusione fra la dotta Europa e la brunita Gerusalemme. La leggiadria del giardino fiorito di Madame de Sévigné sposata alla perfetta serenità di un Sabbath purificato. Corneille e Racine messi accanto a Giona Qoèlet. Le combinazioni ruotavano nel suo cervello. Vedeva la civiltà che aveva inventato il telescopio fianco a fianco con la civiltà che aveva inventato la coscienza — astronomi e salmisti uniti in un maestoso sogno di pace.

Escogitò lì per lì un gioco solitario:

Aprì il *Ta'anit* e lesse a sé stesso con soffocata raucedine teatrale:

Rav capitò in una regione senza pioggia. Ordinò un digiuno, ma la pioggia non venne. Allora il lettore della congregazione si inginocchiò al pulpito delle preghiere e recitò «Egli fa soffiare il vento», e subito il vento soffiò, e quando recitò «Egli fa cadere la pioggia», la pioggia cadde. Allora Rav gli domandò: «Qual è il tuo mestiere?» «Insegno ai bambini», rispose il lettore, «e insegno tanto ai figli del povero che a quelli del ricco, e se qualcuno è tanto povero che non può pagare, non pretendo da lui alcun onorario. Possiedo un vivaio di pesci, e se un bambino è negligente negli studi, lo seduco offrendogli alcuni pesci e così lo induco ad applicarsi».

Pult, Pult! Pult della pira! Dal quale aveva imparato soltanto la battuta sull'Illuminismo! Pult che faceva scuola tra i pesci!

Quindi allungò a caso una mano in una delle casse del vecchio prete e ne estrasse il primo libro che gli capitava. Era Proust: *Sodoma e Gomorra.* Lo aprì e lesse, nello stesso borbottio soffocato:

Per una trasposizione dei sensi, il signor de Cambremer vi osservava con il naso. Questo suo naso non era brutto, se mai era troppo bello, troppo sfrontato, troppo orgoglioso della propria importanza. Aquilino, raffinato, lustro, nuovo di zecca, era ben addestrato a compensare l'inadeguatezza dello sguardo. Sfortunatamente, se gli occhi sono a volte gli organi attraverso i quali si rivela la nostra intelligenza, il naso (lasciando da parte l'intima solidarietà e l'insospettata ripercussione che una particolare fattezza ha su tutte le altre), il naso è generalmente l'organo nel quale la stupidità si manifesta più prontamente.

La giustapposizione lo fece ridere. Una burla, una battuta! Era la prima volta che gli capitava di ridere là dentro. Ma ecco che avvertì un leggerissimo fruscio, un rumore smorzato, come se qualcun altro fosse presente e lo osservasse di nascosto. Un brivido trattenuto, un mezzo sobbalzo. Sapeva di essere solo, e in quella limpida solitudine bevve fino all'ultima stilla la sorprendente verità di entrambi i brani, l'aramaico e il francese, ciascuno estratto, come per una lotteria, da un futile sorteggio. Rav e Proust — il mezzo ebreo (da parte di madre; e quindi, secondo il codice giudaico, ebreo quanto lo stesso Rav) — misuravano entrambi il mondo, uno con il metro della passione per l'ideale, l'altro della passione per il particolare sardonico. Come erano diversi! *E nessuno dei due mentiva*. Era veramente meraviglioso che due anime, due tonalità così distinte, potessero di concerto descrivere l'intera geografia della vita.

C'era davvero qualcun altro. Qualcuno seduto in fondo alla scala che lo osservava di nascosto. Traboccante d'angoscia, credette di capire che per lui fosse la fine. Era nauseato dal rincrescimento — dove aveva sbagliato, quel era stato l'errore, il passo falso, la slealtà, il malinteso? Come aveva potuto tradire la fiducia delle monache, o forse loro la sua? Il misterioso osservatore si mosse verso di lui, un piccolo essere. Afferrò la radio, brandendola sopra la testa e preparandosi a scagliarla: sperò che le valvole esplodessero e un frammento di vetro si conficcasse negli occhi dell'esserino. Poi udì la sua voce: «Etes-vous l'Abbé Martin?». Inghiottì un conato di vomito — si accorse di avere la schiuma alla bocca, come un cane rabbioso — e rispose di sì. «Soeur Thérèse ci ha avvertito che potrebbe esserci un'ispezione da un momento all'altro, può darsi che troviamo uno sconosciuto in qualunque momento, in qualsiasi angolo della scuola, anche in un posto che non ci si aspetterebbe, e quello saresti tu». Le monache non gliene avevano mai parlato. «Perché sei scesa qui?» domandò. «Per via degli ebrei». Afferrò di nuovo la radio — che razza di sciarada era questa? «Quando si arrabbiano, mi danno dell'ebrea». «Chi?». «Le mie migliori amiche. Françoise. Germaine». «Non è pericoloso? Perché glielo permetti? Vieni qui, alla luce». Lei sedette sulla sua cuccetta, sotto la lampada; e subito lui si vergognò che non fosse in ordine, ingombra della sua coperta arruffata e di una dozzina di libri del vecchio prete. Aveva di fronte una ragazzina di quindici anni, dagli occhi nocciola dietro gli occhiali, i capelli ricci, vestita con l'uniforme del convento, nel complesso bruttina. Eppure lui aveva paura. Aveva narici intelligenti. «Perché sei scesa qui?» le domandò di nuovo; «sai bene che le suore non lo permettono». «Per calmarmi. Altrimenti le avrei uccise. Mi sento la furia di un'assassina, quando ci si mettono. Sono già stata qui. Ti ho già visto. È interessante guardare un prete che fa pipì come tutti gli altri. Una volta ti ho visto fare pipì nel secchio».

Si domandò che cosa dovesse fare. Non poteva sfondarle le tempie con la radio, o strangolarla; anche se ne fosse stato capace, e avesse messo dentro a forza la carcassa in una delle grandi casse dei libri, che vantaggio ne avrebbe tratto? Si sarebbe decomposto; avrebbe puzzato; l'avrebbero scoperto. Di sopra, avrebbero notato l'assenza della ragazzina. Le monache non avrebbero continuato a tenere un uomo che aveva ucciso. Era la fine; per lui era la fine. «Mi hanno costretta a cambiare nome», disse la bambina. «Come ti chiami?». «Renée». «Che male c'è a chiamarsi Renée?». Oh Dio, che razza di chiacchiere da farsi in un luogo del genere, con il cappio già stretto intorno al collo! «Levin. Me l'hanno cambiato in Le Fèvre. Ma non mi importa chi lo sa. Tutti lo sanno». «Sei ebrea», disse lui; ma senza alcun sollievo. Più che mai voleva annientarne la voce; voleva ridurla in polvere, per il solo fatto che era lì. «Io sono cattolica», disse lei; «da tre generazioni. Il primo è stato il padre di mio padre. Le suore dicono che sono consanguinea di Nostro Signore». «Però sei ebrea». «Non mi importa. Non ho paura». Lui disse: «Ma io ho paura per te». Non era vero. Lui aveva paura per sé stesso. «Non dovresti essere tanto aperta», le disse; «metterai in pericolo chi ti è vicino». «Tanto, lo sanno già tutti. Tutte le mie compagne lo sanno». «Metterai in pericolo le suore». «Tutte le suore lo sanno». «Dove sono i tuoi genitori?». «Se ne sono andati insieme con mia zia e mi hanno costretta a star qui». Lui non sapeva più cosa dire. «Renée», l'ammonì, «non dovresti spiare in questo modo. Non tornare più». «Io non sono normale. Mi hanno fatto un esame psicologico». Avrebbe voluto mandarla via, ma aveva paura; ogni nuova stranezza che lei raccontava lo spaventava di più. «Va' a chiamare Soeur Thérèse», le disse. «Mi punirà per essermi intrufolata qui giù». «Come? in che modo ti punirà?». «Mi costringerà a ricopiare metà *Giulio Cesare*, in inglese». Uno sprazzo di Fleg; sentì che sarebbe di nuovo scoppiato a ridere. Non sapeva più che fare. Gli veniva da vomitare e gli veniva da ridere; era un uomo morto. Disse invece: «Bene. Ti servirà a migliorare il tuo inglese e la tua istruzione». «Cosa fai tutto il tempo, qua dentro?». «Faccio il mio lavoro. Anche il mio è un castigo. Ho disobbedito al vescovo, e lui mi ha mandato qui giù a riordinare la biblioteca di un prete defunto». «Lo detesti questo lavoro?». «Sì», rispose lui, «lo detesto».

Da quel momento tenne costantemente d'occhio le scale; scoprì di essere vittima di un tremore incessante e invincibile. Inoltre, quando orinava avvertiva un fastidioso bruciore, che lo rendeva molto infelice. Non avrebbe saputo dire se fosse l'orina la fonte di quel dolore, o non invece l'angoscia che gli torceva le budella. Si sentiva infetto in ogni parte del corpo; si sentiva osservato. Lo tormentava il dubbio se dovesse o no informare le monache della visita che aveva avuto. Stava ore intere senza far nulla — ora era il suo turno di scrutare di nascosto. La ragazzina non tornava — a meno che non fosse lì proprio in quel momento, in attesa che il suo denso fluido maleodorante zampillasse nel bugliolo. Infine si convinse che nessuna ragazzina aveva mai sceso quelle scale. Un'allucinazione. Poteva informare le monache di aver avuto un'allucinazione. Contò quattordici pasti prima di decidersi a raccontare alla monaca della colazione (tanto metodiche e prevedibili erano sempre) che una certa Renée Le Fèvre era capitata nel suo nascondiglio. La monaca conservò il suo imperturbabile sorriso: «È uno dei nostri privilegi. È un privilegio per noi ospitare lei, Monsieur Brill, e ospitare anche quella bambina». «È un'ebrea?». «Appartiene alla stessa famiglia di Nostro Signore». «Mi ha detto di essere cattolica da tre generazioni». «È già bella nella fede. Desidera essere come noi, e noi rendiamo grazie a Nostro Signore per il dono del Suo sangue, nel seme della Sua carne. Non si allarmi, Monsieur Brill. Lei non è in pericolo. La bambina non avrebbe dovuto venire qui, ma lei non è in pericolo». «E se ne parla con le altre?». «Si sa che racconta storie, Monsieur Brill. Dicono che inventa. E che c'è di male se una bambina lascia galoppare un pochino la fantasia? Stia di buon animo».

Al sicuro sulla lingua di una bugiarda. Ma il giorno seguente vennero a fargli visita tutte e quattro le monache. Non era un fatto usuale. Qualche volta ne scendevano due insieme, una barcollante sotto il peso della grande tinozza di latta dove lui faceva il bagno, e l'altra con un grande asciugamano ruvido e brocche d'acqua di riserva; capiva allora che era passata un'altra settimana, e anche che era notte fonda. Quattro insieme significava un evento importante, come quando era stato accolto nel convento la prima volta. Avevano portato una delle loro tonache. Lo aiutarono a indossarla (l'odore di bucato e di fumo, l'odore della pira) e lo condussero di sopra, attraverso corridoi e oltre un cancello di ferro battuto ornato da angeli adirati, fino a un'automobile con le tendine abbassate. Era pieno giorno. Il sole lo aggredì; una sferzata negli occhi. Si accomodò su un'imbottitura tanto sontuosa che si convinse di essere a bordo dell'automobile che accompagnava il carro funebre. Non v'era tuttavia alcuna traccia di funerale, non v'era traccia di nulla — soltanto il movimento, e la ruvidezza di quelle vesti inconsuete, e le monache che parlottavano fra di loro, escludendolo dalla conversazione. Gli avevano raccomandato di non portare nulla con sé. Lui aveva risposto che se ne sarebbe andato come era arrivato: ma aveva furtivamente introdotto nella cartella del rabbino Pult, accanto al *Ta'anit*, una copia ammaccata di uno dei primi drammi di Edmond Fleg: *La Bête*. Sul risguardo era annotata una sola parola nella calligrafia del vecchio prete: *Délicieux*.

Attraverso una fessura fra le tendine vide volar via Parigi: bandiere, svastiche, ma anche la briosa attività delle strade, come sempre. La luce del sole! *Délicieux*. Invidiava i vivi e i liberi. Invidiava i morti e i liberi. Dentro quelle lunghe sottane e quel copricapo fluente era febbricitante dalla paura. Le monache lo ammonivano di restare adagiato contro lo schienale, di tenersi lontano dal finestrino, di fingersi ammalato e addormentato, di coprirsi col velo. In un qualche punto della periferia furono fermati per un controllo e lasciati andare; poi imboccarono una strada alberata e viaggiarono tutta la giornata e parte della notte. Si addormentò sul serio, e nel sonno udiva una sola frase, ripetuta: *Sono sante donne*. Quella frase pareva riferita non alle monache, ma alle sue sorelle, le ABC — erano morte, o stavano per morire, prigioniere, fuggite? Pensava di non essere rimasto nascosto più di due o tre mesi nella cantina del convento. Le monache gli dissero che erano passati otto mesi; lo depositarono in una fattoria, gli tolsero il suo travestimento e se ne andarono.

Trascorse il resto della guerra in un fienile. Sole, pioggia, maltempo, le smanie della calura, una brina gelida e tanto crudele da congelargli sul viso le involontarie lacrime. Animali irrequieti di sotto. Di tanto in tanto il rischio di una visita del veterinario; allora veniva rinchiuso nel capanno degli attrezzi, accovacciato tra falci e forconi. Qui non lo trattavano con cortesia — non che fossero scortesi, ma erano persone anziane, nodose e spaventate, lavoratori instancabili e senza prole, il marito con le orecchie dai lunghi lobi incartapecoriti, la moglie con il sospetto perennemente annidato negli occhi vuoti, tanto slavati da essere quasi bianchi; lo detestavano perché aveva l'età che avrebbe potuto avere un loro figlio, se la donna non fosse stata sterile. Cosa pensavano di lui poteva praticamente vederlo: tu sei vivo, mentre nostro figlio, soltanto perché non è mai nato, è morto. Nei giorni fortunati beveva panna fresca o succhiava le pesche appena colte nel frutteto. Rastrellava il letame, lo ammucchiava e lo mischiava alla composta. Gli era permesso rendersi utile a condizione che nessuna sua parte, nemmeno l'ombra, potesse mai essere vista da nessuno. Svolazzava come il fantasma della stalla, e aveva cominciato a credersi invisibile. La cantina, con la sua cuccetta, la sua lampada, la sua miniera di libri, le portatrici di acqua e di cibo — tutto gli appariva ora come un paradiso perduto. Defecava fianco a fianco con le vacche. Mangiava quello che trovava o rubacchiava. Gli diedero la tuta da lavoro smessa dal marito e una logora coperta — un angolo reso rigido da sangue coagulato, umano o animale. Gli sembrava di trasformarsi ogni giorno di più in una bestia dei campi, e trovava sempre più strano (benché ora non si arrischiasse a ridere forte) che l'unico libro che aveva portato con sé, oltre il *Ta'anit*, si intitolasse *La Bestia*. Aveva perduto il desiderio di leggere. Tremule spirali guizzavano dietro i suoi occhi. Se ne stava passivamente sdraiato per ore, sentendosi sopraffare dai morsi della fame invernale, ma senza sapere a volte che farci. Osservava il riverbero del sole sull'ispida chioma del pagliaio, o sulle orecchie nevrili, seriche e cavernose, delle vacche. Le vacche gli apparivano più comprensive dell'uomo e della donna che custodivano la sua vita. La notte, quando faceva molto freddo, scendeva la scaletta e andava ad accovacciarsi accanto alle loro gonfie mammelle, tra fianchi gemelli, come un bimbo rintanato nell'incavo dei seni. Ricordava a sé stesso che si era sbarazzato della *nox perpetua*; sapeva quando faceva chiaro e quando buio. Possedeva il ciclo dei giorni e delle stagioni. In primavera si lavava in un bidone di metallo che raccoglieva l'acqua piovana, ingombro di foglie e ramoscelli, con l'imboccatura attraversata da ragnatele gommose. Un giorno, al crepuscolo, infilò di corsa, accovacciato sui talloni e a testa bassa un labirinto di covoni, finché non giunse a un ruscello. Sollevando spruzzi d'acqua intorno, si immerse con i vestiti addosso. Un senso di benessere lo invase in ogni parte del corpo. Nell'acqua limpida e gelida, dai riflessi bruni e dorati, galleggiavano vellutati viluppi di alghe smeraldine. Nuotò e bevve; si purificò fino a ritrovare la propria interezza, togliendosi di dosso, con l'acqua, la bestia. Quella notte il contadino entrò nella stalla con una torcia elettrica e un ramo corto e robusto, fece scendere Joseph dal fienile e gli disse che era stato visto nel ruscello da un ragazzetto che giocava nel campo del vicino. Poi afferrò il ramo e vibrò a Joseph tre violente bastonate.

E nonostante tutto non lo cacciò via. Lasciò che continuasse a rastrellare la stalla, a nascondersi — ma non gli permise mai di occuparsi della mungitura. Sua moglie era convinta che il latte ne sarebbe stato maledetto. Joseph aveva una barba che gli arrivava all'ombelico, il palmo delle mani duro e calloso come le corna delle capre, le unghie delle mani e dei piedi spesse e crepate come cocci di tazze da tè. Era in parte spettro, in parte bestia, in parte coccio. Neppure una volta meditò sull'unione intellettuale fra Parigi e Gerusalemme. Aveva una sola idea fissa, andarsene dall'Europa; lasciare la Francia; e talvolta, mentre giaceva accucciato in mezzo allo sterco di uccello, agli escrementi di pipistrelli e piccoli roditori, sognava di radere al suolo Parigi — fino a farla assomigliare a quei campi luminosi che lo circondavano da ogni lato, quella distesa desolata che ammassava oro su oro fino a lambire il ruscello.

Alla fine della guerra ritrovò le ABC vive, ma nessun altro. Le sue tre sorelle maggiori erano state separate e avevano sofferto la fame; erano state arrestate e fatte schiave. Pensavano soltanto a mangiare. Ma erano sospettose, aggressive. Berthe partì immediatamente per l'Inghilterra, dove sposò un soldato inglese che aveva conosciuto il giorno della liberazione; la sua famiglia, originaria di Minsk (Berthe sogghignava ironica), aveva un panificio a Manchester. Scrisse lettere fitte di biscotti, torte, focaccine al ribes, bignè alla crema, pagnotte di segale, grano, mais, orzo. Anne e Claire si trascinarono di nuovo a Parigi e misero su casa insieme; Joseph si stabilì con loro e tornò all'osservatorio dove scoprì che il vecchio Gaillard era morto due mesi prima, nel suo letto, di polmonite. Il successore di Gaillard riprese Joseph; lo trattava come un intruso, ma Joseph non se ne curava.

Si mise a studiare la possibilità di oceani di azoto liquido in lontani satelliti; si scervellò su remote fratture geologiche e vapori; rimuginò sull'eventualità che gli anelli di Saturno fossero carichi di elettricità. Si era reinserito nella civiltà: perché allora si sentiva disseccato? Perché, mentre il suo pensiero si espandeva fino ai confini dei più remoti spazi celesti, stimava sé stesso mediocre? Attraverso telescopi enormi come ciminiere scrutava le sfere matematiche. Le radio emissioni di orbite, energie e particelle gli ruotavano davanti in abiti splendenti. Stava scoprendo di non essere uno scopritore — era troppo logoro e troppo smaliziato per le stelle, così abbandonò quella vita per le innovazioni e le opportunità di un altro continente.

Lasciò le sorelle, la laurea, l'osservatorio; ai suoi occhi tutto ciò era mediocre. Era vero, senza Gaillard l'osservatorio era mediocre; lasciò Parigi.

Nei trent'anni che seguirono visse affacciato sul mediocre panorama del cortile di ricreazione di una scuola nel bel mezzo dell'America.

Per tutto quel periodo, e oltre, egli visse, in realtà, in un fienile.

Le trattative di Joseph Brill con la ricca benefattrice riguardarono in particolare l'utilizzazione dell'ampia ma fatiscente stalla poche decine di metri dietro la vecchia fabbrica di sedie. La ricca benefattrice propose di trasformare il vasto piano inferiore in una palestra, e il fienile soprastante in una raccolta Residenza del Direttore — ossia un piccolo appartamento per Joseph. Joseph voleva demolire la stalla. Disse che era disposto a trovarsi una sistemazione in un sobborgo dei dintorni, e anche a guidare ogni giorno fino alla scuola. Poteva perfino fare a meno della palestra, se ciò avesse significato sbarazzarsi del fienile: un cortile attrezzato sarebbe stato più che sufficiente. La ricca benefattrice inorridì all'idea di una scuola americana senza una attività organizzata di Educazione Fisica. Non avrebbe rinunciato alla palestra, più di quanto avrebbe rinunciato a una lavagna in ogni classe. Inoltre, la sua idea di un direttore si poteva sintetizzare in ciò che lei chiamava «raggiungibilità costante». «Sempre in vista al proprio posto», come la metteva la ricca benefattrice. Aveva un'inclinazione per la propaganda; adorava gli slogan. In modo piuttosto romanzesco, aveva scovato Joseph solo poco tempo prima, mentre sbarcava il lunario insegnando l'ebraico in una sinagoga decaduta di Milwaukee. O almeno, questo era ciò che credeva la benefattrice; lei non si era accorta che Joseph aveva indagato, con ferrea tenacia, fino a che *lui* non aveva scovato la ricca benefattrice. E allora, chi aveva scelto l'altro? Attrazione alimenta attrazione; più che un semplice contratto, esisteva fra di loro un patto. Benché sfavorito dal fatto di essere senza un soldo, Joseph era senza dubbio avvantaggiato da un sontuoso accento parigino. L'origine del suo accento sfuggiva alla ricca benefattrice, che si esprimeva con un marcato accento di Bobruisk, una mediocre cittadina bielorussa.

L'opulenza da Eldorado della Rue du Faubourg St. Honoré e le odorose bancarelle della Rue des Rosiers (pullulanti di un accento praticamente indistinguibile da quello della benefattrice, e soltanto innestato in una specie di francese) erano per lei la stessa cosa. Era la sublime musa d'Europa che intendeva imbrigliare. Nelle sillabe di Joseph Brill — residui del negozio di pesce di suo padre — lei udiva soltanto la seduzione antica della più vecchia università. François Villon danzava fra le narici di Joseph Brill. La filantropia, deferente e ambiziosa, avrebbe dato vita a un simulacro della Sorbona nel bel mezzo dell'America: una Sorbona di bambini densa di melodie ebraiche, una Sorbona scaturita da un esule Eden. Le acque di Silo che sgorgano dalla nuca d'Europa!

«Quando il mio architetto avrà terminato i lavori, non lo riconoscerà più. Non s'accorgerà nessuno che era un fienile. Non deve comportarsi come se ci avesse abitato il diavolo. Mi stia a sentire», proseguì la ricca benefattrice — aveva la sbrigativa autorità acquisita di una donna rimasta vedova da tempo e vantaggiosamente — «accetti il mio progetto riguardo alla palestra e al fienile — e di conseguenza il suo appartamento — e io le concederò un punto di vantaggio sulla scelta del nome. *Non mi piace* quel nome, e se *io* non ho mai sentito nominare Edmond Fleg, chi altri può averlo sentito?». Ma era affascinata da tutto ciò che Joseph le andava spiegando a proposito della sua idea di un Doppio Programma. Chumash, Talmud, Studi Sociali, Francese: le acque di Silo che sgorgano dalla nuca della Civiltà Occidentale!

Joseph Brill aveva ormai trentun anni. Sua sorella Berthe aveva divorziato dal suo soldato ed era tornata, beffardamente, a Parigi. Le ABC erano di nuovo riunite. Consideravano Joseph uno sbandato: aveva rinunciato all'osservatorio per andare a vivere in un'oscura città nell'entroterra del paese delle illusioni e diventare una nullità.

Scrisse loro del suo trionfo: rizzò la cresta: proclamò che era diventato il Direttore Brill della Scuola Elementare «Edmond Fleg». Descrisse il fienile: «Avrò una casa sul lago». Descrisse la scuola: «Un edificio di mattoni solido come una fortezza, con una sua storia, da restaurare e ammodernare con ogni genere di attrezzature, compresa una modernissima palestra». Claire gli rispose lamentando che la sua lettera sembrasse un opuscolo pubblicitario: *loro* non erano tre probabili allieve! Berthe gli scrisse: «Joseph, dovresti sposarti». Accluse una fotografia delle ABC: erano tutte e tre mostruosamente ingrassate. Anne non gli rispose affatto.

Le aule furono realizzate con semplicità e buon gusto; le finestre della vecchia fabbrica furono conservate, alte e strette, come feritoie nella torre di un castello: ma quelle feritoie si affacciavano su un panorama arioso e scintillante di azzurro-acqua e bianco-cielo. Un'intera carovana di nuvole si spostava da finestra a finestra, occhieggiando e spiando.

Joseph viveva nel fienile. Effettivamente era impossibile riconoscervi un fienile. Ma restava comunque oscuro ed angusto. Le assi del pavimento gemevano e scricchiolavano. Nessuno lo chiamava Residenza del Direttore; era ancora «il fienile».

Soltanto la palestra non fu mai completata. La ricca benefattrice aveva cambiato idea. Ora pensava di utilizzare il denaro in maniera più proficua: era chiaro ormai, dato l'elevato numero di iscrizioni preliminari, che ben presto sarebbe stato necessario edificare una nuova ala. Il campo giochi recentemente allestito all'ombra del fienile, con le altalene gialle, gli scivoli verdi, e le spalliere arancioni — a Brill facevano venire in mente degli uccelli tropicali — era più che sufficiente. Per raggiungere il suo appartamento, il Direttore Brill doveva attraversare questo campo giochi, penetrare nella nera vastità senza finestre del piano inferiore con i suoi cavalli fantasma, e raggiungere una scaletta di metallo addossata al muro posteriore, coperto di ragnatele. Questo inutile spazio oscuro si stava a poco a poco trasformando in un magazzino. Vi erano già ammucchiate diverse casse zeppe di manuali. Lo facevano pensare alle monache; a come lo avevano rapito e poi abbandonato. Le oltrepassava e, salita la breve rampa, accedeva a un cucinino delle dimensioni di un carrello da biblioteca o, più similmente, di una tinozza.

I più piccoli fra gli scolari credevano che nel bel mezzo della notte cavalli fantasma scalpitassero e nitrissero e sbuffassero proprio sotto il pavimento della stanza da letto del Direttore Brill.

Tutte le denominazioni originali restarono nell'uso comune — non soltanto «il fienile». L'edificio della fabbrica vera e propria continuò ad essere chiamato «la parte vecchia». E, benché la nuova ala fosse stata edificata da ormai ventisei anni, persino l'ultimo contingente di genitori si riferivano ad essa con l'appellativo di «ala nuova»; e lo stesso faceva il Direttore Brill.

L'ultimo contingente di genitori restava quasi sempre sorpreso nello scoprire che la ricca benefattrice non era ancora morta. Aveva effettivamente raggiunto un'età molto avanzata, addirittura veneranda; ma era anche decrepita, e poteva muoversi solo su una sedia a rotelle cromata, governata da un infermiere dai sandali rossi. A volte, quando un esile alito di ossigeno le tossiva nel cervello, raggiungeva la lucidità e, cullando un registratore sulla coperta che le copriva le ginocchia, vi lasciava cadere tremolanti bollettini: *Fondata scuola... organizzata raccolta di fondi... nominato Consiglio di Amministrazione... assunto Joseph Brill, brillante e geniale giovanotto di Parigi, Francia... ha redatto un Programma...* Questo elenco autogratulatorio — tronco, sconnesso, balbettato — metteva la ricca benefattrice al riparo dal segreto cinismo del direttore: ogni voce rispondeva a verità.

Tranne che per l'inaugurazione la ricca benefattrice compariva raramente in pubblico. Ma la sera dell'inaugurazione se ne stava seduta al crepuscolo, infagottata fra coperte e cuscini, una vecchia grinzosa tartaruga vedova nel guscio della propria sedia a rotelle: scoperchiata immobile. Era molto tempo ormai che non s'immischiava negli affari della scuola, benché una volta avesse minacciato un genitore con il suo grinzoso pugno di rettile. Difendeva Brill in ogni occasione: nella Scuola Elementare «Edmond Fleg» si combatteva una annosa guerra.

Era la guerra fra il Direttore Brill e i genitori. Aveva superato da tempo la fase cruenta; era ormai una tradizione: un'istituzione parallela alla scuola stessa. Brill irritava i genitori. Alcuni addirittura lo detestavano. Persino il manipolo dei suoi sostenitori ammetteva che il suo ingegno brillante s'era coperto d'erbacce, che il suo famoso Doppio Programma — che da un lato si ispirava ai Tesori della Cultura Occidentale e dall'altro poggiava sullo studio, nella lingua originale, dell'Inestimabile Eredità delle Scritture e dei Commentari — si era sclerotizzato. Un gruppo frazionista sosteneva che non ci fosse nulla di intrinsecamente maligno nel pensiero del direttore, ma piuttosto che egli fosse impreparato come pedagogo: era inabile, aveva delle aspirazioni ma era incapace di metterle in pratica: persino la più scarna delle teorie deve generare la sua tecnica applicativa. Le origini di quella guerra — in che anno fosse iniziata, e a causa di quale controversia — erano state dimenticate; ogni partecipante conosceva a memoria le tattiche avversarie. Entrambe le parti impegnavano ogni energia nell'escogitare nuove tattiche.

Le madri accusavano Brill di elitismo. Lui ribatteva che non avrebbe rinnegato l'elevato per il volgare. «Ho cominciato scrutando le stelle», usava ricordare loro, «e continuerò a dirigere lo sguardo più in alto dei vermi. *Ad astra!*».

Ma disprezzava le madri. «Queste *donne*», usava dire e, a volte, in yiddish, «*di vayber*», come se avesse tenuto quella parola a macerare nel fiele per molto tempo. I padri erano in maggioranza medici. Erano specialisti del cuore, dei reni, del fegato, delle ossa, del sangue, della pelle. Uno o due erano psichiatri. Erano di bell'aspetto, e detestavano i loro pazienti più anziani; si credevano immuni dalla vecchiaia. Se ne andavano in giro con degli aggeggi agganciati alla cintura — aggeggi che potevano emettere un richiamo elettronico se attivati via radio da lontano. *Cip*, *cip*, molti di quei cicalini erano soliti strepitare durante le riunioni del Comitato Didattico. Il Direttore Brill non stimava questi medici; li giudicava meschini e avari. Le loro oblazioni filantropiche erano rare e riluttanti. Il laboratorio di biologia non aveva mai avuto da nessuno di loro nemmeno il denaro sufficiente per pagare un microscopio. Preferivano spendere in barche a vela; per il picnic annuale d'autunno, approdavano direttamente alla spiaggia di fronte alla scuola, con le loro cinture pigolanti sopra i calzoncini corti e i virili polpacci.

Le madri gli facevano visita coalizzate in comitati, in truppe, in orde ostili; venivano per litigare. La lugubre battaglia dei tempi andati crepitava ancora. I manuali di matematica sembravano concepiti per esperti di calcolo superiore, non per studenti del quarto anno. Quelli dell'ottavo, razza di giganti, non avrebbero dovuto avere la pausa per il pranzo prima di quelli del secondo, che fanno i capricci quando sono affamati. Le liste di vocaboli erano troppo lunghe. Gli insegnanti stancavano troppo i bambini, pretendevano l'impossibile. Li facevano faticare troppo poco, non pretendevano abbastanza. Brill aveva imparato a lasciar parlare le madri; non erano come le donne francesi, e ormai aveva capito che la loro sfrontatezza americana esigeva un sacrificio. A volte, messo brutalmente alle strette, si arrendeva per amor di pace, e silurava un insegnante a metà anno.

Le voci delle madri, sgarbate, sfrontate, vibranti; se le figurava come aironi strepitanti in difesa del proprio nido. I loro pantaloni, le loro rotondità, i loro seni, i fianchi nascosti delle più esili, le loro lunghe chiome sciolte, lucenti; le vedeva come creature della natura, imbevute di secrezioni: la bocca tascabile dell'utero, maternità rossa di zanne e artigli. Persino quando cedeva, le dominava, perché erano venute da lui come postulanti, come supplici, e cedere era pur sempre esercitare la propria supremazia — era il sigillo del suo scettro. Le madri non erano capaci di umorismo, né di ironia, soltanto di furia. Si battevano senza tregua: mio figlio; gli altri bambini; l'insegnante; le liste di vocaboli; i compiti a casa.

Vedeva come le ghiandole mammarie eccitavano la loro rabbia. Non erano altro che riflessi discordanti fermentati nel piano degli astri. Calderoni in miniatura dell'impulso solare.

Si sentiva il loro sovrano; era il loro dio; il loro radioso Budda seduto.

E, malgrado tutto, si sentiva avvizzito; sapeva bene quanto fosse avvizzito. La sua erudizione era stantia; ormai tutto si riduceva alla memoria. Era ancora capace di snocciolare versi di Baudelaire, o Rimbaud, o Mallarmé, o Verlaine, e ogni primavera invadeva l'aula della sesta per scrivere sulla lavagna

Mais où sont les neiges d'antan?,

ma non leggeva più con impegno. Non aveva mai sbadigliato tanto leggendo il «Times», neppure di domenica; aveva lasciato scadere il suo doveroso abbonamento a «Le Monde»; comprava invece il quotidiano locale, con le sue rapide notiziole di furti con scasso e funerali di paese — gli piaceva scoprire quali verdure in scatola fossero in vendita allo A&P. Ricordava le illuminazioni che aveva sperimentato molto tempo prima immergendosi nella lettura di questa o quell'opera — file e file di Balzac, ad esempio; e *Madame Bovary*; e Proust, al ritmo della cui prosa aveva sposato un tempo i battiti del proprio cuore. Ma ora lasciava passare le serate sonnecchiando nei raggi fluttuanti del televisore, inebetito da Lucy, dai pupazzetti dalla voce stridula degli Antenati; dal vuoto palpitante di paure.

Il vuoto brulicava di vuoti minori: specchi di vuoti: una perdita dopo l'altra. I molti e il molto. Poteva enumerare i molti fino all'ultimo: suo padre e sua madre; Michelle, Leah-Louise, Ruth; Gabriel e Loup; il rabbino Pult. Il resto, il molto incorporeo, era ogni cosa — la sua stessa lingua; le incalcolabili somme che simboleggiano le galassie; la vita oltre la morte, l'Ignoto, che avrebbe potuto sopportare se non fosse nato proprio nel Mezzo, in quel mare di mostri che era — *coup de hasard*[1] — il suo stesso tempo. E non aveva moglie.

Alla fine dell'estate, prima che avesse inizio il nuovo trimestre, Brill disse a Gorchak, «La scuola è nobilitata. Lei non potrebbe neppure immaginare dal figlio di chi».

«Maschio o femmina?» domandò Gorchak.

«La *madre*. La questione è chi sia la madre».

«La questione è se lo scolaro sia diligente oppure pigro».

Ephraim Gorchak era il miglior insegnante che il direttore avesse. Era il membro più affidabile dell'intero corpo insegnante. Era sempre puntuale, non si assentava mai neppure un giorno, e persino gli scolari avvertivano quanto egli fosse equo, specialmente nel dare i voti. Era facile per lui essere equo, dato che il suo modo di interrogare era puramente meccanico — o sapevi la risposta o non la sapevi — e non aveva altro da fare che aggiungere o sottrarre punti. Ogni alunno sapeva bene in quale considerazione Gorchak lo tenesse. Chi aveva buoni voti, era uno scolaro diligente, degno di rispetto, che Gorchak manifestava in forma di lieve derisione. Chi aveva brutti voti, era un mentecatto, e Gorchak lo trattava come si meritava, evitando di guardarlo quasi la sua vista lo oltraggiasse. Era un giovanotto tarchiato con una testa come un cespuglio in fiamme: rossi rovi gli spuntavano da dietro le orecchie e dal collo. Il suo mento prominente presentava una leggera fossetta, ma questa depressione era costantemente riempita da una barba dalla crescita rapida. Le sue guance erano rosee o arancioni, a seconda dell'intensità della luce: un'alba luminosa sembrava sempre sul punto di sorgere sulla parte inferiore del suo viso, specialmente a metà pomeriggio. Aveva occhi scialbi e slavati sotto le palpebre lente e un naso tutto sommato grazioso e consapevole.

Brill disprezzava Gorchak, e lo stimava al tempo stesso. Benché Gorchak fosse impegnato sul versante più arduo del Doppio Programma, era pur sempre un maestro elementare, e il Direttore Brill sapeva meglio di chiunque altro (meglio dei medici che lo accusavano di ottusità, di codardia, di intransigenza) che razza di gente fossero costoro. Sulle insegnanti donne non si poteva mai

1 In francese nel testo. (*n.d.t.*)

fare affidamento: le loro automobili si guastavano, i loro figli si ammalavano, o si buscavano loro stesse un raffreddore. Peggio ancora, le loro classi erano caotiche, turbolente. L'automobile di Gorchak non si guastava mai, i suoi figli — un ragazzo al terzo anno, una ragazza al quinto — erano sani e robusti, i suoi sereni occhi azzurri non lacrimavano mai. Inoltre la sua classe era perfettamente disciplinata. Ciò che manteneva la disciplina era il ridicolo. Il ridicolo risultava dal metodo meticolosamente equo di Gorchak: o sapevi la risposta giusta o non la sapevi. Se sbagliavi, Gorchak evidenziava di fronte a tutti l'assurdità della risposta. Faceva in modo che tutti ridessero di te, e anche tu, se riuscivi a trattenere le lacrime, avresti riso proprio come tutti gli altri.

Brill si rendeva conto di tutto questo, ma riconosceva quanto fosse salutare per gli scolari mescolare alla tensione di una lunga giornata di Doppio Programma un pizzico di leggerezza, perciò non interferiva. Ogni mattina le risate ruzzolavano fuori dalla porta della classe di Gorchak, perché Gorchak non tollerava gli errori, e ancor meno la pigrizia. La prima cosa che teneva a chiarire con un certo tipo di genitori era che dovevano scordarsi espressioni come «in via di miglioramento» o «potenzialità». Uno scolaro o era diligente o era pigro. Uno scolaro pigro non era che un sognatore. I sognatori erano dei buoni a nulla. I loro visi erano sempre rivolti a sinistra, verso le finestre; da quel lato della scuola il verde declivio saliva fino a incontrare la spiaggia e il lago semivuoto. Talvolta una barca a vela sovrapponeva il suo candido triangolo all'acqua argentea. Una volta la coda di un uccello spazzò la cornice di una finestra come una scopa capovolta. La materia di Gorchak era Storia Biblica. Manteneva un'andatura militare, un-due-tre, troppo svelta per chi guardava fuori della finestra con aria sognante. Insegnava tutte quelle leggende proprio nell'ordine in cui si susseguivano nel testo, ma ciò che amava di più erano gli elenchi, specialmente di nomi di luoghi e spostamenti: *Partirono dal deserto di Sinai, e si accamparono a Dofka. Partirono da Dofka e si accamparono ad Alus. Partirono da Alus, e si accamparono a Refidim, dove non c'era acqua da bere per il popolo.*[1]

Gorchak domandava: «Dove non c'era acqua per dissetarsi?».

1 Numeri, 33, 12-14. (*n.d.t.*)

Venti mani si levavano: «Chiami me, signor Gorchak! Per favore, per favore, signor Gorchak!».
«Michael!», sbottava Gorchak.
«Refidim!».
«Bravo, Michael, bravo!».
E al compito settimanale successivo avrebbe chiesto: «Elencate tutti i nomi dei luoghi dove si accamparono i Figli di Israele durante l'esodo dall'Egitto, dal deserto di Sinai in avanti. Due punti per ogni risposta esatta».
Le risposte esatte erano: Kibrot-Taava, Caserot, Ritma, Rimmon-perez, Libna, Rissa, Keelata, monte Sefer, Arada, Makelot, Tacat, Terach, Mitka, Asmona, Moserot, Bene-Iaakan, Or-Ghidgad, Iotbata, Abrona, eccetera, eccetera. E quando riconsegnava i fogli, tutti striati dai grossi e nitidi tratti delle sue correzioni, Gorchak soleva dire, «Non c'era alcun motivo per ottenere meno del cento per cento del punteggio. Bastava che imparaste a memoria la lista ciclostilata che ho distribuito poche settimane fa. Sarebbe bastato quello» — al che dava un'occhiata furfantesca — «Non avevate che da conservare quell'elenco, per ogni eventualità. Se non l'avete conservato, è stato per negligenza pura e semplice, e io non posso farci nulla».
E tutti scoppiavano nuovamente a ridere, perché quello speciale sguardo furfantesco voleva dire che lui faceva finta di non prendere in giro gli scolari negligenti, i cui nomi sapevano tutti, e non c'era nulla di più comico di quando Gorchak fingeva che non ci fosse nulla da ridere. Il suo grazioso naso era assolutamente mite, il suo viso impassibile: ci si era fermata sopra l'alba.
Il Direttore era orgoglioso di avere un insegnante popolare come Gorchak, ma nello stesso tempo ciò accentuava il suo terribile isolamento: non c'era nessuno in grado di comprendere il turbamento che talvolta lo sopraffaceva, in special modo il giorno dell'Inaugurazione. La cerimonia della consegna dei diplomi era bellissima, sempre al calar della sera, con la brillante falce gialla di sabbia che dalla burrosità di giugno trascolorava prima in un grigio appannato, poi in quella specie di roseo miraggio che dura soltanto una frazione di secondo prima di sprofondare nella completa oscurità. Giù dalla collina, come dal cuore del lago, gli studenti dell'ottavo anno fluivano liquidi, prima le ragazze nei loro

abiti bianchi, reggendo ghirlande o mazzolini di fiori, uno stuolo di spose, seguite dappresso dai ragazzi domati dai loro abiti inamidati blu marino, al seguito del meraviglioso e splendente corteo di quella massa di spose. Era principalmente in quei momenti che il Direttore Brill avvertiva l'orrore selvaggio di quel turbamento: ma a volte l'avvertiva anche quando sbirciava dentro l'aula della prima, e udiva tutti quei piccoli recitare a voce alta; oppure quell'acuto dolore soleva azzannargli il fegato anche di fronte a una sola bambina, una nuova iscritta che doveva essere intervistata, con la madre seduta accanto.

L'intervista consisteva nel mostrarle cinque dita.

«Quante sono?», domandava il direttore.

«Cinque», mormorava la bambina.

Poi mostrava le stesse cinque dita, ma anche il pollice dell'altra mano. «E ora quante sono?».

La bambina sprofondava la testa nel colletto.

«Quante sono?», insisteva lui.

La dolce testolina restava china. La bimba non rispondeva. Brill concludeva, senza riserve, che la bimba non era delle più sveglie, e proprio in quel momento la fitta del turbamento, il quasi-animale che allungava le sue zampe roventi proprio accanto al suo fegato, lo rendeva nuovamente consapevole della sua condizione: la sua scoperta. La sua condizione era l'immortalità. La sua scoperta l'orrore che ne derivava. Non aveva mai neppure tentato di attirare Gorchak in questa gelida consapevolezza: come anno dopo anno tutto rimanesse identico, gli scolari del primo anno così piccoli, con le vocine tanto delicate, le ragazze dell'ottavo anno che sbocciavano alla pubertà, i loro seni ritti e minuscoli come la punta di una candela, gonfi sotto i candidi abiti nell'interminabile processione che scendeva lo scintillante pendio; primavera dopo primavera dopo primavera. Nulla si muoveva. Nulla mutava. La prima classe era sempre la prima classe, l'ottava classe era sempre l'ottava. Questa consapevolezza lo raggelava; era il gelo stesso del cosmo. Sempre lo stesso, lo stesso, lo stesso. Le monache l'avevano tenuto in vita per questo. Il fienile l'aveva tenuto in vita per questo. La natura rimpiazza, rimpiazza identicamente, rimpiazza gelidamente.

Egli temeva per sé stesso, perché faceva parte degli eletti, quei pavidi eletti che si lasciano ingoiare da uno sguardo soltanto all'immortalità. Quello sguardo balenava dentro di lui sempre più spesso. Gli mostrava come non fosse morto nel bel mezzo del tempo della morte. E poi gli mostrava come avrebbero continuato a sorpassarlo, questi bambini eternamente bambini, che non sarebbero mai cresciuti oltre la pubertà; gli passavano davanti, sempre gli stessi, sempre gli stessi: gli stessi timidi, gli stessi a salare e gli stessi a far bravate, gli stessi occhi a celare offese imperscrutabili, e poi le bellezze in miniatura, i malinconici infelici, tutto quel fagotto di corpi per la gran parte modellati alla meno peggio, lanciati fuori dalle gambe dell'ultima leva di madri. Onda dopo onda, e sempre la stessa onda. Erano come le stelle, che esistono ancora o forse sono già estinte. Non ci è permesso assistere alla loro fine; ma soltanto, trasmesso fino a noi da un remoto raggio di luce, al loro principio.

Brill ripeté a Gorchak: «La madre».

«La madre di chi?», domandò Gorchak.

«La madre della bambina che ho intervistato oggi». E senza sapere bene perché — non fu un gesto istintivo, ma Brill non mirava neppure ad un fine preciso — porse a Gorchak il rapporto della dottoressa Glypost. La dottoressa Glypost era la psicologa della scuola, benché la scuola di Brill non fornisse quel genere di servizio su basi regolari, come facevano altre scuole. Costava troppo. La dottoressa Glypost veniva assunta soltanto per il periodo autunnale; appena prima dell'inizio del nuovo anno scolastico esaminava i nuovi iscritti, per individuare turbe psichiche, nevrosi, mancinismo. Distingueva i validi dai non validi. Epurava. Andava fiera delle sue credenziali; i suoi giudizi mancavano di elasticità. Come Gorchak, vedeva soltanto successo o fallimento. L'orgoglio per la sua cultura la induceva a prevedere e ordinare il futuro.

Gorchak lesse:

BEULAH LILT, ETÀ CINQUE ANNI E UNDICI MESI

Beulah è una bambina tesa ed ansiosa, incapace di un atteggiamento libero verso i suoi compiti, carente di spontaneità, introversa nei rapporti con il prossimo. Benché non sia mancina, non è perfettamente integrata e non ha utilizzato il tempo a disposizione per l'esame in maniera efficiente e positiva. C'è in lei una certa intransigenza e una scarsa adattabilità. Durante l'esame è rimasta seduta senza sorridere neppure una volta. Si è dimostrata indolente, come una sonnambula. Lo sguardo mancava di vivacità. Quando le ho mostrato la tavola di Rorschach che rappresenta una minacciosa oscurità, l'ha definita Nube di tempesta. La definizione più comune fra i bambini della sua età è Uccello oppure Pipistrello. Apatica, inadatta al Doppio Programma.

«Non avrà accettato questa bambina?», chiese Gorchak con calma.

«Al contrario, è già stata registrata».

«E l'intervista? Ha reso meglio con lei?».

«Era intimorita. Paralizzata. Non è riuscita a sommare cinque più uno».

«Non ce la farà», dichiarò Gorchak. «Non è volonterosa. L'indolenza è pigrizia. Ha dato la risposta sbagliata. Gli scolari volonterosi rispondono Uccello oppure Pipistrello».

«Non posso lasciarmela scappare», replicò Brill.

«Influenzerà negativamente la reputazione della scuola. Perderà tempo a sognare», ammonì Gorchak.

«È proprio della nostra reputazione che mi preoccupo», ribatté Brill. «Darà lustro al nostro nome. Una fiaccola. La sua presenza ci avvantaggerà. Non posso lasciarmela scappare». Notò che Gorchak aveva elegantemente arricciato il naso e riprese: «Intendo dire la madre. Lei non sa chi sia la madre». Non pensava che Gorchak avesse sentito parlare della madre. Gli prese di mano il rapporto della dottoressa Glypost e lo ripose in una cartella. «La dottoressa Glypost è una griglia, coi buchi grossi e squadrati. Sarebbe un danno per il prestigio della scuola se lasciassimo scivolare questa bambina da una delle voragini della dottoressa Glypost».

Gli insegnanti del Direttore Brill erano loro stessi come bambini. Lui conosceva a menadito le loro abitudini. Famiglia, buona cucina, televisione, buoni voti. Avevano avuto tutti buoni voti alle scuole elementari. Insegnavano il «rispetto per i libri», ma scrivevano memoriali infantili (persino la loro calligrafia era infantile) e, benché conoscessero a memoria le cause della Guerra del 1812, erano ignoranti. Avevano tutti quanti un certo qual brio infantile.

«Hester Lilt», rivelò a Gorchak. «La madre è Hester Lilt».

«Mi sembra di averla sentita nominare», disse Gorchak.

Brill sapeva che non era vero.

Si occupava di logica immaginistico-linguistica, un'espressione sconosciuta a Brill. Non aveva idea di cosa significasse. Ma aveva visto una sua intervista alla televisione e, in quell'occasione, l'avevano definita in quel modo: esperta di logica immaginistico-linguistica. Un bel boccone. Benché ricordasse il titolo del suo libro più famoso, *Il Mondo come Apparenza* (*Die Welt als Erscheinung*, preso a prestito da Kant), Brill non aveva letto né quello né alcuno degli altri quattro. Li prese tutti in prestito dalla biblioteca locale. In seguito si sarebbe rivolto all'editore per acquistarli; richiedevano profonda riflessione. Uno si intitolava semplicemente *Pensiero*, ma, guardando meglio, notò un sottotitolo: *Antico e Moderno*. Gli altri tre erano *Metafora come Esegesi*, *La scoperta del Significato*, e *Interpretazione come Fine in Sé stessa.*

Sfogliò quest'ultimo. «L'eterno coadiutore del linguaggio», lesse, «è l'ombra stessa del linguaggio, nel senso dell'effetto che ne consegue; un linguaggio senza conseguenza, ovvero la "purezza" del vaniloquio, è inconcepibile nella valle dell'interpretazione». Tutto questo lo fece sentire inetto.

Ma quando venne a parlargli della bambina, Brill trovò la sua conversazione semplice, addirittura banale; dalla sua voce, dai suoi modi, dalla camicetta, non si capiva chi era. Nel piccolo schermo televisivo che teneva accanto al letto gli era sembrata più anziana, canuta, con occhiaie livide e profonde; sessant'anni, almeno. Ma, osservandola nel proprio ufficio, si rese conto che doveva avere forse dieci anni di meno, un viso largo, il mento pesante, e grosse ciocche di capelli irsuti e sempre disordinati che le incorniciavano la testa. Provò la vaghissima ma acuta sensazione di averla già conosciuta. Le sue scarpe erano logore e sformate — scarpe come *quelle* non le aveva mai vedute prima. Nessuno aveva mai osato presentarsi a lui con scarpe come quelle. Persino il suo aspetto esteriore era ben diverso da quello delle altre madri dato che, sospettava Brill, non andava mai dal parrucchiere e non si curava dell'abbigliamento. Aveva scarpe vecchie, con le stringhe, e quel giorno indossava dei calzini corti, come una ragazzina, su stinchi troppo robusti. Tuttavia, l'assillo di una qualche indefinibile familiarità continuava a ronzare in un angolo muto della mente di Brill: un lontano vibrato. In seguito lei gli confermò di essere apparsa in televisione una seconda volta, durante un programma della Pubblica Istruzione che era andato in onda nella tarda serata, soltanto un mese prima; e Brill finì per convincersi che fosse quella la causa di quell'indefinibile sensazione.

Lo preoccupò — cosa mai accaduta in precedenza — il fatto che i moduli amministrativi della scuola fossero espressamente indirizzati al marito come capofamiglia, sostegno economico, unico possibile intestatario del libretto degli assegni; lei non aveva marito. Non si preoccupò di spiegare se fosse divorziata oppure vedova. Il suo accento, nel quale Brill ravvisava ignoti frammenti d'Europa, lo disorientava. E pure la sua età. Aveva fose quarantacinque, cinquant'anni? Una primipara attempata — anche se al Direttore era capitato di leggere che la madre di Samuel Johnson aveva messo al mondo il figlio all'età di quarantun anni: donne di questo genere erano piuttosto comuni nella robusta razza inglese. Brill scrutò il viso della pensatrice — uno strumento per indagare, valutare, comprendere, aveva l'aria di essere stato ben utilizzato e non semplicemente lasciato invecchiare — e cercò di immaginare chi avesse generato la bambina. Qualche vagabondo *bohémien*? Un altro filosofo? Un suo gemello, un rifugiato mitteleuropeo sopravvissuto? Lui non poteva né incantarla né tantomeno intimidirla. Non era sfrontata né litigiosa come le altre madri. Ma il suo essere straniera — non troppo evidente — la smascherava. Rivelava, per lo meno, la sua resa: dopo tutto erano entrambi, lei e lui, nel bel mezzo dell'America, uniti da quell'altro Mezzo, l'autentico e terrificante Mezzo, il Mezzo del loro tempo, del quale gli integerrimi e incrollabili americani non sapevano nulla. Percepì ciò che lei serbava dentro di sé: scoramento. Non avrebbe mai potuto ingannarlo. Era come uno specchio per lui, in cui era certamente in grado di scrutare.

Al di sopra della scrivania, oltre il variegato mappamondo della sedia Bristol, le porse i moduli, dicendo: «È possibile che lei e io siamo compatrioti, signora Lilt?».

«No», rispose lei.

«Eppure, avevo creduto di riconoscere... Bruxelles? Zurigo?».

«No. Io non sono ciò che lei è».

«E cosa sono io?», domandò. Sapeva ciò che era. Non era una domanda appropriata a quel genere di colloquio. In trent'anni non aveva mai posto a nessuno un simile interrogativo.

«Un americano».

Sleale. Indelicato. Con due frasi l'aveva respinto e smascherato. Non gli piaceva l'ironia. Non gli piaceva che lei rifiutasse l'omaggio, la solidarietà, persino il mero conforto. Si aspettava che lei riconoscesse il loro legame come l'aveva riconosciuto lui. Si rendeva conto di quanto fossero immancabilmente simili, come i membri di una disciolta compagnia, che celano dietro le loro pantomime relazioni più intime e durature.

«E lei?», replicò. «Lei non si considera americana? Non è diventata ormai americana?».

«Io sono diventata ciò che volevo diventare». Questa asserzione lo ferì. Era come dire che lui non c'era riuscito. L'astronomo fallito. Cercò di indurla a parlare. Ma ottenne ben poco: aveva lasciato l'Europa centrale molto tempo prima, diversi decenni prima, su una di quelle navi cariche di bambini, ma Brill non riuscì a scoprire da quali origini si fosse riscattata. La sua nazionalità sembrava essere formata da pezzetti di patrie diverse; ciò che gli era sembrato per un attimo di riconoscere era una pennellata delle sue natie consonanti. Attese invano di udire il nome del suo luogo d'origine. Lei gli raccontò di aver vissuto molti anni a Londra, di avere un tempo studiato a Stoccolma, di avere effettivamente ricoperto un incarico in Nuova Zelanda per un certo periodo, e di avere recentemente ricevuto l'offerta di trasferirsi a Parigi; ma che l'avrebbe rifiutata, almeno per il momento, a causa della bambina. Costanza. La bambina aveva bisogno di una casa, di una scuola, di stabilità.

Fu il suo unico accenno alla bambina. Dopo, non disse altro al riguardo. Non era come parlare a una donna; gli era difficile pensare a lei come a una donna. Teneva il collo dritto; non lo inclinava di qua e di là per valorizzare lo sguardo, come facevano tante madri. Persino la sua voce era maschile: grave e sonora. «Preferisco», dichiarò in quel tono cupo e pungente, «pagare tutto in una volta». Fu colto alla sprovvista da tanta disinvoltura. Si era dimostrata reticente nel soddisfare la sua curiosità riguardo alla propria vita, ma in fatto di denaro era fin troppo esplicita. Non era abituato a trattare con donne tanto schiette nel parlare, e soprattutto non era abituato a discutere i metodi della scuola con una madre. «Non è questo il nostro procedimento usuale», spiegò. Lo stava obbligando a darle spiegazioni. Non era abituato a dare spiegazioni a una madre, in quel modo schietto, pacifico e disteso. «Preferiamo rateizzare il pagamento. Esigiamo un certo numero di assegni postdatati, a coprire un periodo di nove mesi». E, nel dire *nove mesi*, benché avesse già usato quella stessa espressione almeno un centinaio di volte trattando con i padri, si rese conto per la prima volta che aveva un altro senso, il periodo della gestazione, e il volto e il ventre gli avvamparono.

Lei appose la sua firma in calce al modulo. Brill non si era mai imbattuto in una firma femminile che fosse tanto simile a quella di un uomo. Indugiò ad esaminarla, attentamente. Si era aspettato la consueta grafia femminile — i caratteri frivolmente obliqui, le linee curve sinuose come profumo trasmutato in geroglifico, il cosmetico artifizio dello scrivere asservito al puro abbellimento; la trivializzazione dell'alfabeto sulla punta delle dita di una donna.

Lei notò quella sua apparente titubanza. «Ho firmato nel posto giusto?».

«Sì, sì, tutto a posto». Si strinsero la mano. «La scuola», dichiarò, «è onorata». Esaminò di nuovo la sua firma. *Lilt*. Faceva pensare ai liuti. Eppure no; era indubbiamente di origine ebrea. *Leyl*, notte. Liuti della notte; musica notturna. Oppure quel succubo che spaventava i bambini del ghetto, Lilith il demone della notte. Quel nome gli gonfiava la gola. Quella sillaba era troppo concisa; lo oltrepassava troppo rapidamente. Voleva trattenerla fino a che non avesse scoperto cosa ci fosse in lei di *déjà vu*. L'aveva veduta prima, non soltanto attraverso il vetro notturno del suo televisore. Insisté: «Verrà a tenere un discorso?».

«Un discorso?».

«Ai genitori. Abbiamo un circolo dei genitori molto esclusivo, numerosi medici, un pranzo annuale...».

«E di quale argomento potrei parlare?».

«Qualcosa sul genere di quella sua recente intervista televisiva. Potrebbe parlare della condizione del... del sognatore razionalista».

«Il sognatore razionalista?».

Come se non fossero state le sue precise parole! Cominciava a credere che lei ripetesse continuamente ciò che lui diceva soltanto per prenderlo in giro, ma prese tempo: perseguiva i propri scopi.

«Mia cara signora, non ci capita tutti i giorni di poter accogliere fra noi un genitore della sua fama. E a me non capita tutti i giorni di intrattenere nel mio ufficio una pensatrice di prim'ordine».

«Signor Brill», — lo stava defraudando; nessuno aveva mai pronunciato quel nome senza il suo tonante appellativo! — «un contratto non è *intrattenimento*, e io non sono una pensatrice elementare, né da scuola elementare. A partire da Aristotele, tutti i pensatori hanno smesso di esserlo».

«Cara signora, lei medita, lei scrive...». Tese la mano verso la pila di libri ammucchiati nell'angolo più lontano della sua scrivania. «Questo brano in particolare, tratto da *La scoperta del significato*, potrebbe forse trarne spunto per un discorso...».

Lesse a voce alta:

> Quando meditiamo sul pensiero, ci troviamo in una posizione di autogiustificazione. Ci dispiace ammettere che non generiamo i nostri pensieri, ma che, al contrario, essi sembrano essere generati *per noi*, come se ci fosse un motore trascendente che collega i processi mentali a una qualche fonte esterna, così che abbiamo la sensazione di essere stati *ispirati*, come sottinteso nell'espressione *idea ispirata*.

Le domandò: «Vi sono in questo accenti religiosi?».

«Indubbiamente vi sono accenti religiosi in ogni cosa». Gli sorrise per la prima volta, e questo le tese le labbra lasciando però invisibili i denti e, stranamente, approfondì la leggera ruga fra le sopracciglia. «Conosce André Neher? Scrive a proposito di Fleg — e Fleg è il suo breviario, non è vero? La sua vela maestra, la sua testa d'albero. Dovrebbe leggere, nella sua lingua, *L'Exil de la Parole*». Non ebbe bisogno di domandarsi se quel sorriso fosse o meno ironico. Lei lo stava trattando con condiscendenza. Era passato molto tempo dall'ultima volta che aveva avuto una conversazione di quel genere: della quale non aveva il controllo. Decenni, probabilmente. Nessuno gli aveva più parlato in quel modo dai tempi di Claude. Era stata abile al punto di accennare persino alle barche a vela che solcavano il lago. Non aveva la minima idea di chi fosse André Neher; era improbabile che l'avrebbe mai scoperto; poté notare tuttavia che lei aveva pronunciato quel nome, e quei pochi vocaboli francesi, in modo impeccabile. Da una costa all'altra dell'America, nessuno poteva vantare una tale erudizione. Egli stesso era ormai esiliato dalla parola — prigioniero delle notti fra lo spettrale scalpitio dei cavalli, legato per contratto a maestri ignoranti, madri, medici, abbrutimento intellettuale, bambini; il periglioso e fiammeggiante Flegetonte.

Lo colse all'improvviso — probabilmente a causa della nitidezza con la quale aveva pronunciato *parole*, la parola che significa parola: cercava forse di nascondere, per chissà quale sventurato motivo, che era nata sulle sponde della Senna? — lo colse il sospetto di averla conosciuta negli anni della sua infanzia. Quel mento, quel naso! Era invecchiata, molto invecchiata. Era cambiata. Era evidente che la sua aristocratica piccola bocca imbronciata non poteva più sedurre — ora se ne rendeva conto chiaramente. Ma la voce flautata — i liuti di Lilt! — della lingua francese sulla bocca di lei gliela riportarono turbinosamente alla memoria: ne avvertì la vertigine. Era lei. Era canuta e avanti negli anni, e senza neppure una perla. Ma era proprio lei — lo sapeva con certezza — Madame de Sévigné! Ne aveva il viso, la voce, il portamento, la personalità enigmatica, l'arguzia nello scrivere; lo stesso collo robusto. L'unica cosa assente era l'insana passione per la figlia. Hester Lilt non coltivava follie di quella fatta — non pronunciava nemmeno il nome della figlia. La figlia era omessa. Si sarebbe quasi potuto pensare che *non avesse* una figlia. Eppure, chi mai avrebbe udito parlare della viziata e permalosa Comtesse de Grignan se non per merito della sua stessa prodigiosa madre, che ronfava e faceva le fusa per quella *fille* tanto ordinaria? Madame de Sévigné libera dall'ossessione per la figlia: non era possibile. La rassomiglianza già andava svanendo. Un fugace abbaglio creato dalla sua stessa mente, generato dal limpido e argentino scampanio della sua lingua madre. In mezzo a tutti quei bambini, anelò per il bambino che Joseph era stato un tempo. Quella non era Madame de Sévigné. Il ritratto era immensamente lontano, nel Museo Carnavalet, dentro un altro secolo, ed anche più distante, nascosto fra le pieghe dei velati vespri dopo la scuola, lungo la via traversa. Comprese che l'anelito per la propria adolescenza non era che l'ingenua aspirazione che potessero tornare la bellezza e la brunita speranza.

Sollevò lo sguardo: la somiglianza era svanita del tutto. Lei non era simile a nessuno. Non aveva un sosia. Era serena e tranquilla. Se ne stava ancora pazientemente seduta, con quella lieve e sinistra ambiguità nel sorriso. Era indifferente; e lui meritava la sua indifferenza. Si meravigliò di avere potuto intravedere, seppure per un singolo istante, una somiglianza. Madame de Sévigné nel bel mezzo dell'America, sulle sponde del Flegetonte!

«Se lei ci considera οἱ πολλοί», insisté sterilmente, «e si rifiuta di tenere un discorso per i genitori, come potrò giustificare il fatto di averla vista in televisione?».

«*Chaos ex machina*. Un'apparizione», gli suggerì.

«Colpa della sua fama, allora», replicò Brill in tono esplicito. «Non può evitarlo. Vengono a prenderla e la trascinano sul podio».

«La gente come me non è mai famosa», ribatté lei, sempre con quel sorriso docile, ambiguo, pericoloso.

«La gente come lei non si accorge mai di esserlo». Aveva oltrepassato i limiti della propria urbanità. Ciò che lei aveva detto era pura verità. Gorchak non aveva riconosciuto il suo nome; famoso è ciò che i maestri di scuola conoscono.

Cominciò a studiare seriamente la sua opera. Era difficile dire se ci fossero o meno «accenti religiosi»; talvolta pareva ci fossero; talvolta no. Penetrò nella sua mente; ne scoprì la serietà, e lo splendore; si sentì sgomento di fronte a una tanto sublime capacità di assimilazione. Aveva avuto ragione a dire di non essere una pensatrice elementare, ma restò anche colpito per come le sue idee gli fossero familiari. Si era imbattuto in alcune di esse molti anni prima, per mezzo di Claude, ai tempi della sua emancipazione. Si domandò se avesse conseguito una laurea in qualche università. Non si faceva chiamare «dottoressa», ma questo forse era solo per orgoglio, oppure per una forma di abnegazione, poteva anche essere il segno della sua solitudine. Quando parlava inglese, le sue consonanti pungevano come filo spinato. Concepì l'idea, sfogliando e risfogliando quelle incomparabili pagine, che avrebbe potuto realizzarsi come poetessa; ma aveva rinnegato ogni liricità, ogni «espressività». Aveva rinunciato all'originalità. Le restava solo l'esattezza. Dispensava esami critici e minuziosi commentari. Il suo genio per la chiarezza lo sgomentava. Era intimamente convinto che fosse sincera. Non una menzogna. Era troppo logica per mentire.

Era molto tempo che non si applicava con tanto fervore. Pensava che ciò lo avrebbe affaticato, invece lo ridestò. Anche quando dormiva faceva sogni dinamici. Sognò di affibbiarsi le cinghie assicurate al sellino del grande telescopio di Monte Palomar, e di fluttuare verso l'alto sotto la spinta di quell'agile meccanismo, sempre più in alto verso l'ampio specchio, simile all'occhio di una dea, che assorbe i riflessi delle stelle. In quell'immenso cristallo rifrangente evocava l'immagine serena e inalterabile del sorriso di Hester Lilt; sapeva di non avere diritto alla sua considerazione. Gli sembrava persino giusto. Si era sgravato dell'onere del proprio «potenziale» — perché? Gorchak l'avrebbe definita pigrizia. Cercò di convincersi che aveva abbandonato l'astronomia perché la Francia era stata la terra della sua prigionia, perché la Francia era stata il suo Egitto. Rammentò allora che Tolomeo era egiziano, e che proprio in Egitto Giuseppe aveva raggiunto la grandezza. In realtà non era l'astronomia che aveva rinnegato, bensì la grandezza. Aveva ripudiato l'universo non perché non fosse capace, ma perché altri erano migliori di lui. Le alte vette o niente. Il genio lo faceva impazzire. Era l'unica cosa che rispettava. Anno dopo anno indagava fra i suoi allievi. Ma erano tutti ugualmente mediocri. Persino i più svegli erano mediocri. In tre decenni non era riuscito a trovare un solo bambino fuori del comune. I migliori erano dello stampo di Gorchak, consacrati al culto dei bei voti.

Fra le mura della scuola poteva assaporare la dignità che la propria carica gli conferiva. Quando marciava dentro un'aula, affettazione e deferenza si impadronivano dell'insegnante. O magari diventava improvvisamente gioviale e buttava là una facezia, ma anche quello era un segno di deferenza. La signora Seelenhohl, ad esempio, che era conosciuta per essere un'opportunista della più bell'acqua, non assegnava quasi mai compiti scritti per evitarsi la fatica di correggerli ma, al suo apparire, annunciava un'esercitazione per il giorno immediatamente successivo. Quel giorno entrò nell'aula della prima. La signora Bloomfield era seduta alla sua cattedra, praticamente indistinguibile da una qualsiasi delle madri più giovani. Aveva lunghi capelli castani. L'aveva assunta a causa del suo modo di parlare estremamente preciso. Ma si era accorto molto presto che era una stupida. Aveva pensato fra sé: che importanza ha? Si occuperà soltanto degli alunni del primo anno. Prima o poi, impareranno in qualche modo a leggere da soli. I bambini stavano scrivendo nei loro quaderni. Individuò Beulah

Lilt. Era seduta a un banco d'angolo, nell'ultima fila. Aveva in mano matita e quaderno. Guardava per aria, oltre l'alta finestra, verso le vele. Le si avvicinò.

«Cosa vedi là fuori?».

Gli occhi della bimba si abbassarono di colpo sul quaderno.

«Qualcosa di interessante?». Erano i suoi modi da folletto. Pretendeva di essere spiritoso e beffardo, e pareva proprio che lo fosse — l'intera classe scoppiò a ridere, l'ilarità animale, sguaiata e rumorosa, dei bambini piccoli. Beulah restava immobile e muta. Anormale. Non si poteva scherzare con lei. Cosa fare di una bimba come quella?

Fece cenno alla signora Bloomfield di seguirlo fuori in corridoio. Lei gli corse dietro con i capelli al vento, le narici tese e dilatate. Lo temeva. Come sempre, di fronte agli insegnanti, assaporava il proprio potere. Era il loro sovrano. Le disse: «La piccola Lilt».

«Quale sarebbe?».

Dopo due settimane di scuola ancora non sapeva quale fosse la figlia di Hester Lilt. «Quella bionda, con i riccioli. Quella a cui ho appena parlato».

«Ah, quella». Una smorfia. «Un caso disperato. Una sordomuta. Non parla. Non alza mai la mano».

«Sta imparando a leggere?».

«L'ho messa nel gruppo dei più lenti».

La figlia di Hester Lilt! Un'incongruenza tale lo rattristava. Sapeva bene di essere un voyeur di ingegni precoci; anelava un bambino prodigio da contemplare. Matematica o scacchi o violoncello. Un genio in qualunque disciplina. Un giovane astronomo, quale egli stesso era stato; poi reietto, e spinto alla deriva. «Naufrago», lo chiamavano in coro le sue sorelle; Berthe, soprattutto. Berthe era l'istigatrice. Le alte vette o niente. Le catene più elevate, dalle quali aveva permesso a sé stesso di paracadutarsi, lasciando che i venti lo spingessero in basso — verso la scuola, la donazione, la sua seconda occasione, la svolta della sua vita, dopo Gaillard, dopo le monache, dopo il fienile, un'esplosione di vita: stringere fra le mani giovani menti, argilla fresca, ingegni precoci, cominciare daccapo, osservare, contemplare, e tutto questo in tre vagoni sulle sponde del Flegetonte; e lui, monarca dei vagoni. E poi i benedetti, rigeneranti giorni della nascita del suo progetto, il Doppio Programma, il pensiero armonizzante di Edmond Fleg, le casse di libri del vecchio prete, l'odore della cantina e dei ceri delle monache — l'ispirazione che gli permetteva, una mattinata estiva dopo l'altra, di conciliare questo e quello. Trovava strano e vergognoso che quel lavoro potesse donargli gioia, o quantomeno ebbrezza — era una sorta di archeologia: lo scavare in profondità, i gradini di pietra, la cartella di Pult, Le Févre nata Levin, Gerusalemme da un lato e il Louvre dall'altro, il sogno di fondare una scuola, allucinazione dopo allucinazione, e sempre la sua sorellina Ruth che singhiozzava nel Vél d'Hiv, Pult che respirava gas in Polonia, tutto ciò che aveva perduto. Ne era uscito mondo, dilavato, il Doppio Programma unica inalterabile certezza che ancora serbasse nell'animo. Era, in ultima analisi, uno schema educativo fulgido abbastanza da confacersi a un principe della corona o a una principessa. Ma né principi né principesse si erano mai iscritti alla sua scuola. Non aveva un allievo degno della sua concezione: illustre civiltà intrecciata ad illustre civiltà, il tallone di re David impigliato nella lira di Victor Hugo, i metafisici Maimonide e Pascal, Bialik e Keats, il Talmud intrappolato dai fuochi dell'algebra. Invece doveva istruire plebei, malerbe, figli di idraulici. Idraulici: così chiamava i medici, perché no?

«La madre è una donna eccezionale», confidò alla signora Bloomfield; la signora Bloomfield era una consumatrice di riviste acquistate alla cassa dei supermercati. Avrebbe potuto caderle sul cranio l'intera opera di Hester Lilt senza che lei ne avvertisse il peso.

«Non è necessaria una sfera di cristallo per capire quella bambina. Non c'è molto in quella sua testolina, e non si può aspettarsi granché», dichiarò la signora Bloomfield.

«Ci metta più impegno», insisté lui. «Per riguardo verso la madre».

«Non è la madre a frequentare la mia classe». Era irriverenza ciò che gli era sembrato di udire? Lei non perse tempo in indugi. «Direttore Brill» — era *proprio* irriverenza — «lei vuole cavar sangue da una rapa».

«Le insegni a leggere», concluse lui allontanandosi.

Ora che si sentiva vigile e solerte, il cervello sotto pressione, telefonò all'autrice di *Metafora come Esegesi*. Lei gli rispose con voce rauca. Immaginò che lavorasse tutta la notte, e soltanto all'alba sollevasse la testa dai libri. «L'ho svegliata? Ho interrotto le sue meditazioni?», le domandò, le vene che gli pulsavano per l'affanno. Durante tutta la sua vita americana era sempre stato soggetto alle infatuazioni. Rifuggiva dalle donne «adatte» a lui. Per trent'anni le madri della scuola avevano cercato di combinare il suo matrimonio; e, al fine di adempiere questo gratificante proposito, persino i peggiori nemici che aveva fra i genitori si erano adoperati con altruistica, illimitata, mostruosa buona volontà. Si era ritrovato a questo o quel tavolo di ristorante in compagnia di una signorina Springer, una signorina Whitehill, una signorina Trittschuh, una signorina Tepperbaum. Di conseguenza, aveva sparso la voce che, molto tempo prima, quando era ancora uno studente, aveva perduto l'amata a causa di un tragico male, di un crudele destino. Erano stati sul punto di fidanzarsi. Quella tragedia gli aveva spezzato il cuore, e il suo dolore non si era più placato. Così sussurravano le voci. A volte erano offuscate dalle nebbie di qualche desolata Montagna Magica; oppure era la nera brace di quelle corte sigarette francesi, che avvelenano i polmoni. O la caduta da un cavallo dagli alti garretti e la criniera fluente: osso del collo rotto, spina dorsale spezzata; e il suo lungo, lunghissimo coma. Nessuno era certo dell'attendibilità di queste voci. A Brill sembrava di scorgervi l'impercettibile, fuggevole ammiccare degli occhi di Claude. Chi le aveva generate? Era stato forse lui stesso? A volte le voci prendevano una forma diversa: la sua amata, fanciulla esile ma coraggiosa, eroina della Resistenza dal misterioso nome di battaglia, era fuggita in Inghilterra appena prima che cominciassero i bombardamenti; era rimasta sepolta sotto le macerie dell'East End di Londra. Dietro questa storia non faceva capolino il fantasma di Claude. Ma Berthe, la grassa sorella del Direttore Brill, e il suo matrimonio troncato di Manchester.

Per una fazione minoritaria di madri dall'animo romantico, quelle voci, in tutte le loro varianti, erano sufficienti a giustificare l'immutabile condizione di uno scapolo dapprima giovane, e poi di mezza età; ma la maggior parte di esse la trovavano assurda: il tempo guarisce, egli invece restava caparbio, capzioso, evasivo, stizzoso, inconsolabile; un caso disperato. Le varie signorine Springer, Whitehill, Trittschuh e Tepperbaum, insegnanti elementari con i loro diplomi in Pedagogia Infantile — fanciulle dal viso grazioso e le cosce robuste, estasiate di aver conosciuto un autentico francese, un parigino laureato alla Sorbona e Direttore di una scuola — fluttuavano via, gli passavano oltre giustificando la loro ritrosia con storie di fantasmi appena sussurrate: «La sua amata ha perso la vita in un bombardamento», usavano dire; oppure, «Era nella Resistenza, e l'hanno fucilata in una cantina»; o ancora, «Si è dovuta travestire da suora per salvarsi la vita, ma poi l'hanno gassata in uno stadio polacco»; e abbandonavano la scena nel fiore degli anni, generazione dopo generazione, mentre i capelli di Brill si diradavano e una candida schiuma gli screziava le tempie.

Un bel giorno si accorse di essere diventato non solo più vecchio di quanto fosse mai stato, ma anche proprio ciò che le sue sorelle credevano che fosse, benché in trent'anni non si fosse mai mosso da quello stesso luogo: un naufrago alla deriva. «Dovresti farti esaminare dalla dottoressa Glypost», gli aveva scritto sua sorella Claire nella stessa lettera in cui lo informava del secondo matrimonio di Berthe, con un rifugiato ungherese di nome Glassman: Berthe aveva avuto fortuna, il marito era proprietario di un piccolo calzaturificio alla periferia di Parigi — la scarpina aveva calzato, finalmente! Le madri si erano ormai rassegnate a cercare di accasarlo con donne meno matrimoniabili: vedove che tendevano alla pinguedine, con figli già grandi; ansiose divorziate, sempre a grattarsi i piccoli nei; segretarie e infermiere cui non importava sposare un uomo più anziano perché erano convinte, giudicando dal fatto che aveva trascorso i suoi anni in uno scenario tanto verde, arioso e lacustre, che fosse ricco. A poco a poco era scivolato nel suo grande sonno, con un viso sempre più grave e paziente ai tavolini dei ristoranti; ma di nascosto, nel proprio cranio, faceva scricchiolare il suo molare d'oro; di nascosto, sotto il tavolo, agitava gli alluci dentro le scarpe; gli occhi spalancati celavano la sua sonnolenza. Così si decisero finalmente a lasciarlo in pace. Passava le notti sdraiato accanto al tremulo alone planetario del televisore, malato di infatuazione.

Le infatuazioni di Brill erano terribili. Erano anche segrete — catalettiche, opprimenti. Un'estate, calzando un paio di quegli eleganti e costosi scarponi dai chiodi lucenti, si era arrampicato faticosamente in cima a un'alpe del New England, e sulla vetta aveva conosciuto un pastore della Chiesa Unitaria con la moglie. In albergo i tre avevano stretto amicizia, discutendo della storicità dei Patriarchi, e poi di Gesù; la moglie, sempre senza fiato, ansimando languidamente in un modo incantevole, aveva sostenuto con tanta passione la reale esistenza del Salvatore, che non aveva potuto resistere al fascino dei suoi occhi viola intenso, incorniciati da fitte e nerissime sopracciglia dalle estremità rivolte all'insù, come un arabesco orientale. Per due anni Brill e la signora Carstairs si scrissero regolarmente. Lei era australiana, sposata a un americano; la comunità di cui il marito era pastore si trovava a Labrador, nello Iowa. Brill aveva allora quarant'anni, la signora Carstairs cinquantuno. Non aveva figli. «Mia carissima signora Carstairs», le scrisse nella sua ultima lettera, senza fiato per uniformarsi a lei, «sarebbe per me una grande gioia poterle insegnare la Lingua Sacra. Deporrei ogni accento e forma dell'alfabeto ebraico nel palmo della sua mano come la più fragrante e rosea delle melagrane, un *rimmon*...». Lei non rispose alla sua offerta. Due mattine prima dell'arrivo della lettera, il suo cuore fremette, sussultò, rallentò, divenne inquieto come un grillo; per poi cadere nella gabbia della morte.

Tutte le sue infatuazioni erano galeotte, soffocanti, sterili, campate in aria: illusioni. Una donna intravista attraverso la vetrina di un parrucchiere, il pallido viso che fluttuava tutto solo in cima a un lenzuolo vasto come una nuvola, la ghirlanda dei capelli incapsulata in un bossolo d'argento, e soltanto il profilo visibile, in perfetta, soave solitudine, il mento tanto nitidamente arcuato da sembrare sbocciato dalla corolla di un fiore di campo. Oppure: una ballerina che gli era fugacemente apparsa a un concerto — ma non sulla scena; era un concerto di musica da camera, al quale aveva accompagnato una certa signorina Feibush. Brill non aveva pagato i biglietti. La madre di un allievo che aveva organizzato l'appuntamento gliene aveva fatto omaggio: la signorina Feibush era appassionata di musica. Gli era costato fatica e disagio guidare per le vie della città con la signorina Feibush che cinguettava melodiosamente al suo fianco, traspirando lievemente e spandendo all'intorno un profumo che, gli sembrava, obbligava la sua bile a scorrere in senso inverso. La signorina Feibush era un'assistente sociale, ed era convinta che Mozart, se raccomandato per tempo ai bambini bisognosi, li metteva in grado di vincere la paralisi psicologica conseguente al disagio economico. Ascoltando questi discorsi, Brill aveva provato il desiderio di schiaffeggiarla. Il suo vocabolario era persino più sgradevole del suo sudore. Durante il concerto la signorina Feibush aveva attirato la sua attenzione per indicargli una giovane donna dalla pelle nera, seduta tre file dietro di loro — come era affine alla sua indole, quel volgersi a guardare alle proprie spalle! «È Dyduma Mbora», gli aveva sussurrato la signorina Feibush; «non ricorda quell'articolo su di lei?». Brill non ricordava. «Si tratta di quella ballerina nigeriana, in America per una serie di esibizioni, ha presente, quella di cui hanno parlato in quell'articolo su "Time"». Brill si era voltato a guardare a sua volta e aveva notato la fronte liscia e ben modellata dell'africana, la sua lunga gola avvolta in uno scialle di pelle di tigre, le poderose ginocchia che lo fronteggiavano nude, come due pugni. Senza alcun preavviso — e tuttavia senza troppo sorprenderlo — il primo colpo di fulmine l'aveva colto al pomo d'Adamo, poi il suo stomaco si era affollato di un numero eccessivo di organi, cuori gemelli e triplici reni. La fisiologia lo minacciava. Come aveva desiderato poterla seguire in Africa, lasciarsi avviluppare dalle lame di coltello della calura equatoriale per amore delle sue guance d'ebano, delle sue labbra scure come bacche, delle sue lucide cosce di mogano!

Tutti questi accoppiamenti sterili e incorporei — intessuti di nubi e chimere — Brill li attribuiva alla stravaganza, alla duplicità del proprio cuore. Due mondi differenti lo spaccavano in due. Una scuola che insegna Chumash e Rashi[1] e Talmud prende il nome di *jeshivah*; il suo capo è un *rosh jeshivah*. Mentre, in quella finta Sorbona, c'era un direttore, lui, e veniva insegnato un Doppio Programma. Una cosa al tempo stesso possibile e impossibile. O piuttosto, era possibile soltanto nella fantasia; in realtà, era tutto America, i bambini America, gli insegnanti America, i muri stessi della fabbrica di sedie America. Egualitarismo — l'inferiore al comando. E dato che ogni ideale patrizio era svanito, lui aveva tradi-

1 Rashi, cioè Rabbi Shelomoh, figlio di Jsaac (1040-1105), il massimo commentatore della Bibbia e del Talmud.

to Edmond Fleg. Non parlava mai di Fleg con le madri; preferiva invece coinvolgerle sul piano sentimentale per mezzo dei servizievoli fantasmi delle sue affezionatissime *Tantes* — come l'yiddish e il francese sottilmente confluivano in questa parola, così le sue *Tantes* strillavano insieme dalla profondità dei crepacci del pianeta di ghiaccio: nelle sillabe stesse di *Tante* erano nascosti i più puri cristalli del Doppio Programma! «Due zie mi hanno allevato», spiegava spesso, «la mia *Tante* Torah e la mia *Tante* parigina, ciascuna erede di un'antico lignaggio». E poi imbastiva l'«atmosfera» di ciascuna, la zia del Talmud analitica, esegetica, pensatrice straordinaria, energica regina degli scacchi e signora di sillogismi pluristratificati, capace di ideare e risolvere enigmi, e nello stesso tempo docile, pronta al perdono, i nervi fragili e gli occhi facili al pianto; la zia di Parigi, benché anch'essa molto vecchia, era molti eoni più giovane della zia del Talmud, ed anche più insensibile, un po' fredda, la sua gloria negli abiti e nei modi, scarna ed altera, con un mento lungo e aristocratico, come quello di un giovane conte, il suo sguardo un elevarsi di guglie a grondone, e le sue labbra traboccanti di Baudelaire. «Da queste due *Tantes*», usava dire (pronunciando alla francese) in quei teatrali momenti in cui le sue dita pizzicavano l'aria come note sul pentagramma e una magica musica vibrava nel fluire della sua voce, «ho tratto ispirazione per ideare il Duplice Programma». Ometteva di menzionare Edmond Fleg — non aveva importanza che la scuola portasse quel nome dimenticato! Ometteva i dolci fumi delle monache, i libri scarabocchiati del vecchio prete. Ometteva la sua vita segreta. La sua voce era armoniosa ed estesa e, occasionalmente, maliziosa. Le vocali erano umilmente straniere, il loro timbro benevolmente regale — vestite di pizzo.

Hester Lilt non era un'infatuazione; ne era quasi certo. Lei era troppo severa con lui, ed anche troppo disinvolta; era indifferente. «Mi permetta di chiederle scusa», le disse attraverso il telefono. «Stavo leggendo i suoi libri, e mi sono convinto lei avesse proprio ragione, i genitori dei nostri allievi non sarebbero in grado di seguire un suo eventuale discorso. La mia intenzione — lo confesso — era di servirmi di lei». Si interruppe; lei continuò a respirare tranquillamente. «Speravo di attrarre l'attenzione. Di coprire la scuola di gloria e di onori. Lei sa che prima mi occupavo di astronomia. Se le ho chiesto di esporsi pubblicamente, è soltanto perché sono ancora alla ricerca delle stelle».

Si compiacque di questa immagine ricercata: era questo lo stile con il quale si rivolgeva all'anziana benefattrice. Oppure, vi ricorreva nel pronunciare il discorso il giorno del conferimento dei diplomi, scrutando baldanzosamente il prato gremito dall'assemblea multicolore dei genitori: «L'intera milizia celeste è qui con noi, stasera. Sono felice di informarvene, da vecchio astronomo qual sono» — a questo punto era solito alzare il braccio verso lo scintillante Flegetonte e verso i diplomati schierati in cima al pendio — «Credo di essere particolarmente idoneo a riconoscere gli angeli risorti». Oppure, concludendo una disputa accanita con le madri: «Signore, mi arrendo. Vedete in me un pallido satellite abbattuto da una pioggia di meteoriti. Nell'attimo più ardente del loro rapido passaggio, i meteoriti sono i viandanti più luminosi dell'etere». Che stile fiorito, che spacconata! La sua bocca spumeggiava trine, nastrini, frammenti di finto ermellino. Tuttavia, non si considerava vanaglorioso; disprezzava troppo le sue antagoniste.

«È stato un peccato che lei le abbia abbandonate», replicò Hester Lilt. «Le stelle, intendo. Se soltanto le ha veramente cercate».

«Ho deluso le mie sorelle», si scoprì ad ammettere.

«Perché?». La domanda era una concessione. Non le piaceva parlare con lui. La sua indifferenza filtrava attraverso il telefono.

«Oh, lei sa quali sono i rapporti fra familiari...».

«No, intendevo perché ha abbandonato l'astronomia».

Rifletté. Lei lo stava obbligando a riflettere. Rifletté sulle sue spiegazioni abituali. Aveva due differenti spiegazioni abituali. La prima, era parte della sua vita segreta: l'Egitto, i mattoni senza paglia. L'altra: le alte vette o niente. Perciò rispose: «Era questione di scegliere, le alte vette o niente».

«Eppure avrebbero potuto essere le alte vette. Ha rinunciato troppo presto».

«Stavo ormai cadendo. Ho cominciato a cadere fin dall'inizio...».

Con quanta umiltà le parlava! E quanta contrizione!

«Nell'empireo», replicò lei (si stava forse facendo beffe delle sue manie di grandezza?), «nel firmamento, non esiste il basso. Non c'è caduta senza un basso. Come è possibile cadere dove non esiste il basso? No, lei ha rinunciato troppo presto».

Dopo questa conversazione ebbe timore di telefonarle di nuovo. Lei non tollerava i naufraghi. *Ad astra*; e lui aveva rinunciato troppo presto. Lei era ambiziosa in un modo che lui non aveva mai conosciuto prima o, forse, che aveva dimenticato. L'ambizione di lei era indistinguibile dal desiderio, e il desiderio di lei era ben differente dal suo; aveva da tempo rinunciato ai sogni. L'ambizione, il desiderio, era per lei forgiare modelli, dare vita alla forma. Comprese — ora che sapeva cosa cercare — in che modo lei si adoperasse per fornire ogni idea di un'ossatura. Le sue idee erano singolarmente contrastanti, come in una parodia. Lei esponeva — parodiava — ogni schema razionale, ma con il quasi impercettibile giro di vite del suo sinistro sorriso. Era stato testimone di quel sorriso una volta soltanto, e per un unico istante; ma, retrospettivamente, procedendo a fatica attraverso i suoi scritti, giunse a comprendere la peculiarità di quella forzata allegria. Era strano pensare che lei avesse una bambina. Lui conosceva le madri, profondamente, sconfinatamente; lei non assomigliava a nessuna di loro. L'inconscia, inesorabile secrezione scorreva dentro ciascuna di loro. Da mane a sera erano spinte in avanti dalla carica esplosiva di fiumi interiori, nel fragore dell'impeto e della pressione. Le madri erano zattere galleggianti sul diluvio dei loro stessi istinti. Accerchiamento, preservazione, difesa, protezione: questo era l'impeto e il fragore. Questo era lo scopo, e il modo, del loro vivere: scavare un torbido fossato attorno alla loro prole. L'ardore delle loro esistenze non aveva alcun altro scopo e, benché sembrasse altrimenti, erano preda della morsa della natura, erano prigioniere di un'illusione di libertà: come l'ape durante il volo è ignara che la sua meta è il miele, e immagina che ogni volo sia per amore del volo, così le madri vanno qua e là, fanno questo e quello, e credono in una cosa o in quell'altra, ma sempre protese verso una meta immutabile e ben definita. E la loro stessa prole diventerà un giorno identica a loro: aggressiva, arrogante, ostinata: l'attività difensiva delle glandole diretta a proteggere l'irrinunciabile impulso verso la continuità.

Questo era il suo punto di vista, benché alcune espressioni non fossero proprio sue: ad esempio, l'immagine dell'ape disorientata dal proprio comportamento era di Hester Lilt. Attonito, si era ritrovato in mezzo al suo uditorio, di fronte a una tribuna dove lei sedeva in compagnia di altre due persone. La platea non era molto vasta, ma era gremita di facce protese verso la tribuna, fervide ed attente. Notò che lei aveva il proprio piccolo seguito. Si trattava di un «simposio»; il tema era «Un'Interpretazione della Pedagogia». Tutte queste informazioni le aveva ricavate dal biglietto d'invito. L'aveva meravigliato che lei avesse pensato a lui, che le fosse sembrato opportuno invitarlo. Vi era annotata un'unica frase, e piuttosto brusca, in quella calligrafia per nulla femminile: «Signor Brill, mi intrometto nel suo dominio», seguita dal luogo, dalla data e da quel tema tanto singolare. Lo aveva defraudato ancora una volta del suo titolo. Il termine «dominio» — con quanta sottigliezza e crudeltà l'aveva scelto. Evidentemente lei intuiva la sua angusta realtà, il suo minuscolo regno, il suo scettro dello spessore di un filo, la sua irrilevante sovranità. Il Piccolo Re. Intuiva tutto questo e glielo rinfacciava.

Tuttavia, accettò l'invito. Il simposio era tenuto in un'aula dell'università statale. Guidò fino all'altro capo della città e oltre, attraverso villaggi che non conosceva — benché fosse partito in pieno giorno, le tenebre lo assalirono — e finì con lo smarrirsi fra le aree di parcheggio del campus, vagando alla cieca da un prato all'altro. Lasciò la macchina e continuò la ricerca a piedi, nell'oscurità. Alla fine un guardiano lo accompagnò nell'edificio giusto, ma lo indirizzò nel corridoio sbagliato. Complessivamente aveva accumulato un'ora di ritardo, ed aveva ormai perduto le premesse necessarie alla comprensione del dibattito — chi erano quei due uomini pelosi in tribuna, chi erano quegli ascoltatori protesi ed ansanti, di quale genere di consorteria era testimone. Realizzò allora in un lampo che lei non aveva inteso solamente schernirlo, ma anche rimproverarlo. Capitano di pulci e moscerini, guerriero fra le madri! Voleva che provasse vergogna e dispregio per sé stesso: come aveva osato pretendere che tenesse un discorso nel suo piccolo vivaio, alle sue madri, ai suoi medici? I due uomini pelosi — peli spioventi sulla fronte, peli arruffati sopra le orecchie, peli che spuntavano dai polsini, sopra le labbra, sulle guance — si definivano l'un l'altro «epistemologo». Uno aveva una pancia enorme, un tumulo funebre sporgente fra le corte gambe. L'altro continuava ad incrociare ora l'una ora l'altra caviglia dietro i polpacci. Ma tenevano entrambi le mani in grembo, come bimbi addormentati, erano miti e soddisfatti, e persino quando si trovavano in disaccordo tralasciavano di discutere. Brill capì subito il perché. Avevano stretto un patto al servizio di Hester Lilt. Non erano altro che un coro alle sue spalle, mentre lei, in mezzo a loro, impegnata a leggere ad alta voce da un foglio grigio, era indubbiamente il cardine della situazione. Udiva la sua voce come fosse separata dal contenuto, un suono cupo e vibrante, quasi troppo mutevole, benché definito da un certo raschiare delle vocali più alte (indizi di una recondita geografia, della sua occulta vita interiore), e la trovava già tanto interessante di per sé che passarono diversi minuti prima che riuscisse a concentrarsi. Quando finalmente vi riuscì, lei era assorta in un concetto: «la non-sorpresa della sorpresa»: stava illustrando come in Mozart, e in Thomas Mann (citò anche altri esempi, ma gli erano sconosciuti), la subitanea nota elevata, la curva ascendente dell'arco narrativo, riesce a farci spalancare gli occhi per la violenza dell'impatto emotivo; ma soltanto pochi istanti più tardi, una volta che ne abbiamo penetrato il senso, la nota, e l'arco stesso, ci appaiono preordinati, la sorpresa ci sembra naturale e prevedibile. Esposta questa tesi, passò rapidamente a quella che Brill immaginò dovesse essere un'invettiva contro la psicologia, frammentaria ma accurata. Le previsioni degli psicologi, argomentò, sono meccanicistiche, fondate sul mito di causa-effetto, oppure della realtà-come-dato, e trascurano all'origine l'essenziale «non-sorpresa della sorpresa», concetto che non si adegua soltanto all'arte, ma in misura ancor maggiore alla struttura umana. Questo accenno fece sobbalzare Brill: ebbe il sospetto che lei avesse in qualche modo messo le mani sul rapporto della dottoressa Glypost; ma naturalmente era impossibile; era al sicuro, chiuso a chiave nel suo ufficio privato, dove nessuno avrebbe mai potuto consultarlo se non, occasionalmente, un insegnante alla ricerca dell'indizio di qualche deficienza, di qualche mistero caratteriale. Ma nessun genitore, giammai! Eppure, quando lei aveva detto «meccanicistico», e «causa-effetto», e tutto il resto, lui era quasi rabbrividito: era come se lei lo stesse accusando delle previsioni della dottoressa Glypost. È proprio *quel* genere di previsione, concluse lei — «il giudizio espresso sulla base del primo risultato» — che alimenta (a questo punto sollevò la testa dal foglio grigio) ciò che lei non dubitava di poter definire «la fandonia della pedagogia».

Ora Brill ascoltava attentamente, concentrandosi su ogni sillaba, e così facevano le file e file di persone che lo circondavano da ogni lato. Si domandò se non fossero tutti insegnanti; oppure un assortimento di direttori e amministratori scolastici; o forse una platea di «epistemologi», come i due uomini pelosi e silenti seduti in tribuna. Lo confondeva il fatto che lei fosse tanto beffarda — o si sarebbe potuto dire ironica — ma era anche abbastanza evidente che, se si permetteva una tale ironia, il suo uditorio non poteva essere composto da insegnanti e burocrati scolastici. Concluse che dovessero essere tutti filosofi, e quando li udì scoppiare a ridere — più volte, e sempre a causa della stessa parola, «fandonia» — ne ebbe la conferma. Lei accumulava analogie, allusioni, ipotesi — era spaventosamente erudita. Ciò che più lo intimoriva erano gli inconsueti intrecci che era capace di imbastire fra fatti vividi e concreti e circostanze soltanto immaginate. Le sue parabole erano curiosamente simili ad alcuni dipinti che avrebbe visto, e che l'avrebbero turbato, negli anni che sarebbero seguiti. Le citazioni dal *midrash* erano parte essenziale dell'incanto che sapeva creare ma, benché Brill portasse sempre il suo zucchetto e fosse, almeno in questo, indistinguibile da qualunque *rosh jeshivah*, qualcosa dentro di lui — era convinto si trattasse dell'astronomo — non gli permetteva di credere che i *midrashim* fossero *min hashamajim*, una specie di parabole divine, particelle della Legge trasmesse oralmente, e che dovessero essere considerati alla pari delle Scritture. Ai suoi occhi quei brevi racconti erano soltanto ciò che erano: storielle inventate per dare colore ad una lezione morale; e quando lei cominciò con le parole «Correva la piccola volpe», lui indovinò subito di quale *midrash* si trattasse, ma non riuscì, per conto proprio, a capire la connessione con l'argomento che stava trattando.

«Correva la piccola volpe», raccontò lei, «sul Monte del Tempio, dove si trovava il Santo dei Santi, adesso arido e desolato, rinselvatichito, al tempo della generazione della Distruzione. E vi passeggiava Rabbi Akiva in compagnia di tre colleghi, Rabbi Gamliel, Rabbi Elazar, e Rabbi Joshua, e tutti e quattro videro schizzar fuori la piccola volpe. Tre dei quattro piansero, ma Akiva rise. Akiva domandò: "Perché piangete?". I tre risposero: "Perché la volpe entra ed esce a suo piacimento, e quello che era il giardino del Tempio è ora dimora della volpe". Poi i tre domandarono ad Akiva: "Perché tu ridi?". Akiva rispose: "A causa della profezia di Uria, ed a causa della profezia di Zaccaria. Uria ha detto: 'Sion sarà arata come un campo, e Gerusalemme diventerà un ammasso di rovine'. Zaccaria ha detto, 'Ancora una volta le strade di Gerusalemme si riempiranno di fanciulli e fanciulle intenti a giocare'. Perciò vedete", aggiunse Rabbi Akiva, "ora che la profezia di Uria si è realizzata, certamente si realizzerà anche la profezia di Zaccaria". E *questa*», concluse Hester Lilt, «questa è pedagogia. Fondare la previsione non sul primo testo, ma sul secondo. Non sulla prima prova, ma sull'ultima. Scoppiare a ridere fragorosamente proprio in quell'intervallo che, secondo ogni giudizio ragionevole, sembra il meno appropriato — quando il primo passo è compiuto, e ogni futuro rifugio è ancora chimera. Aspettarsi, augurarsi, proprio ciò che sembra meno prevedibile. Attendere quella sorpresa che, quando sopraggiunge, risulta non essere affatto una sorpresa, ma una naturale evoluzione». Alzò nuovamente lo sguardo. «La fandonia ha origine quando il pedagogo si ferma troppo presto. Fermarsi ad Uria senza la prospettiva di Zaccaria è fermarsi troppo presto. E quando il pedagogo si ferma troppo presto fraintende ogni segno, e si convince che il posto del prete sia legittimamente la dimora della volpe, e considera la volpe e tutte le sue qualità come giuste, opportune ed immanenti; e scambia l'aggressività per intelligenza, e la riflessività per ottusità, e la timidezza per apatia, e l'arroganza per successo mondano, e i sognatori per ebeti, e la sfacciataggine per l'indizio di una personalità brillante. Mentre invece gli aggressivi e gli sfacciati non sono altro che volpi! — creature false ed astute che corrono su e giù per luoghi desolati e illusori. La risata di Akiva supera la volpe in astuzia».

Era certamente la più eccentrica conferenza di Teoria Pedagogica che il Direttore Brill avesse mai udito. Era ben diversa dai libri che lei scriveva — più effervescente di sottile ironia, e quindi tortuosa ben oltre l'ironia, al punto di apparire una volta di più straordinariamente rettilinea. Alla luce di queste considerazioni, si meravigliò della poca delicatezza delle sue scelte — diffidava di lei. Appropriarsi proprio di quel *midrash* sulla Distruzione del Tempio, con tutta la malinconia che ispirava, alle soglie dell'Esodo, e miniaturizzarlo in emblema del rapporto fra allievi ed insegnanti! Era provocante, la sua ricerca era prodiga, nulla la spaventava: e poi, quasi impercettibilmente, introdusse l'ape nel discorso, si posò insieme all'ape: insieme all'entelechia dell'ape; come l'ape in volo sia strumento del Destino, benché la sua peluria e il suo ronzio e il suo frullare d'ali siano consapevoli soltanto della propria libertà. E cosa aveva a che fare tutto questo con la pedagogia, questa effimera ape entusiasta del proprio brioso planare verso il letto fiorito? Annusa, osserva, vola, tutto di propria volontà, per il proprio piacere, e tuttavia la povera ape sempliciotta non è che un burattino, abilmente raggirato, illuso, manovrato e manipolato. Celati all'occhio umano, i pigmenti delle erbe e dei fiori riflettono l'energia luminosa dei raggi ultravioletti, che invisibili eppure abbaglianti adescano la sensibile ape, la quale si posa convinta di volersi posare, mentre in realtà è attratta dalle paradisiache fragranze di quei misteriosi composti zuccherini che la insidiano fra il nettare e il polline. E lo stesso accade a noi: quando più ci immaginiamo ubriachi e fuori di senno, bramosi di altro vino o in preda ai nostri più intimi capricci, quello è proprio il momento in cui siamo più strettamente incatenati; ci siamo soltanto fermati troppo presto, senza aspettare il compimento della profezia. E la profezia non è che pazienza, penitenziale.

E perciò, dopo tutto, lui non poteva che prendere tutto questo come un atto d'accusa nei suoi confronti — lei l'aveva convocato perché si inginocchiasse là, come un penitente, e si sentisse ancora una volta accusare di essersi fermato troppo presto. Lei non si fermò troppo presto: esaurì ogni possibile concetto di follia, esaurì la metafora dell'ape (esaminandone minuziosamente le abitudini, sia nella solitudine del giardino che nella comunità dell'alveare, fino a che Brill non si sentì pienamente padrone del regno delle api), trattò esaurientemente ogni testimonianza a proposito dell'esistenza di galassie cannibali, mastodontici agglomerati di gas primordiali che divorano le galassie-sorelle più piccole — e una volta che il pasto è consumato, la vittima continua a roteare come un Giona derviscio nel ventre del cannibale, mentre la galassia-orco, sazia, il ventre gassoso rigonfio, non rotea affatto — immobile come la Morte che digerisce. Esaurì persino Akiva, a proposito del quale esistono diecimila storie (senza scordare il suo colorito aforisma a proposito degli insegnanti, «Più di quanto il vitello brami poppare, la vacca agogna allattare»), esaurì ogni cosa, tranne che il piccolo ardente manipolo dei suoi ascoltatori. Li trascinava tutti quanti al suo seguito come per i gradini di una scala a chiocciola, fornendo nuovo ristoro ad ogni sconcertante giravolta ascendente, verso la vetta. E infine sulla vetta, lieve come un fruscio — dopo di che, concludendo bruscamente, si risedette. Che cosa sapeva ora che non sapesse già prima? Che non bisogna fermarsi troppo presto. I due epistemologi barbuti presero immediatamente a «discutere», e solo allora Brill cominciò a capire che cosa avesse capito. Quei due erano più forbiti nel sapere di Gorchak, eppure identici. Brill si trovò nuovamente infradiciato dalla solita pozzanghera, dalla melma dei luoghi comuni: era un vero e proprio decadimento. Loro «discutevano», commentavano, riassumevano, prendevano spunto, fluivano; le acque della pozzanghera fluttuavano e si frangevano, melmosi fondali del Flegetonte! — erano dei forzati della mente, avevano letto moltissimo. Ma parlavano quasi esclusivamente per sostantivi, straboccavano di suffissi pietrificati: «-azione», «-ssazione», «-icità», «-ezza», «-istico», «-ibile», «-ismo», «-osità», «-izzazione». Tralasciavano l'ape, la piccola volpe, la risata di Akiva.

Da tutto questo — l'ape, la piccola volpe, la risata di Akiva e, in special modo, la galassia cannibale — Brill non si sentiva alieno. Sospettava infatti che la familiarità della conferenziera con i *midrash* fosse di seconda mano, che non si fondasse sulla lingua e sul testo originali. Quanto alla galassia divoratrice, era oltremodo certo che lei non potesse aspirare alla sua stessa preparazione in materia: come il professor François Schweizer e i suoi colleghi avessero studiato (con l'aiuto del telescopio da centocinquantotto pollici dell'Osservatorio Inter-Americano, situato in vetta al Cerro Tololo, in Cile) i cieli dell'Emisfero Meridionale, e come avessero attribuito il nome di NGC 1316 ad una divoratrice che avevano esaminato dettagliatamente, in seguito all'emissione di segnali radio singolarmente potenti — una polverosa trangugiatrice screziata da centinaia di miliardi di stelle, la cui più piccola preda equivaleva a qualcosa come cento milioni di volte la massa del nostro sparuto sole terrestre. Ciò nondimeno, Brill non sarebbe mai stato capace di immaginare, per proprio conto, come il cosmo turbinante potesse fornire un'interpretazione della pedagogia. Per lui il cosmo restava sempre inumano, terribilmente gelido e infinitamente lontano, benché ci vivesse proprio in mezzo. Per lei, invece, era come un immenso dito che battesse segnali in codice.

Il mattino seguente, a scuola, il Direttore Brill si dedicò ad esaminare meticolosamente la figlia della pensatrice. Questa volta preferì non entrare nell'aula, ma attraversò il cortile e si inerpicò su per la scaletta che portava al fienile, fino al suo tenebroso giaciglio. Da qui, sollevando le tendine (nel suo appartamento da scapolo non c'erano imposte), ed inginocchiandosi sul letto per avvantaggiarsi della posizione elevata della finestra, poteva godere di un'ottima visuale sugli alunni del primo anno durante la ricreazione, quasi come se gli fossero sfilati davanti ad uno ad uno. I bambini si dondolavano sulle altalene, oppure si arrampicavano dentro e fuori l'intrico degli attrezzi ginnici: le strutture metalliche formicolavano di minuscole suole e candidi calzini, acute strida, come quelle di uno stormo di uccelli, si levavano alte. Due figure se ne stavano appartate al di fuori di questa scena, che si ripeteva ogni giorno, un anno dopo l'altro: la perpetuità delle piccole creature! Era pur vero che Brill non si era mai nascosto a sbirciare in quel modo, ed aveva potuto osservare quella scena soltanto dalla strada; e, dalla strada alle spalle del campo da gioco, i bambini assomigliavano a storni dalle piume multicolori, che cinguettavano e saltellavano all'ombra degli alberi secolari. Una delle due figure distanziate di qualche passo dalle altre, la più imponente delle due, era la signora Bloomfield, seduta sopra un masso isolato, i lunghi capelli scuri che ciondolavano sulle pagine patinate di una rivista. In cortile si annoiava tanto quanto si annoiava fra le pareti dell'aula, ma qui almeno poteva concedersi la libertà di appartarsi. Tutti gli insegnanti erano come lei — approfittavano del più breve intermezzo per sottrarsi ai propri doveri. Mediocri. Fannulloni. Soltanto Gorchak era instancabilmente vigile, come un pollo privo di palpebre. La seconda figura appartata rispetto alle altre era la figlia di Hester Lilt. Brill non se ne meravigliò. Non aveva disertato del tutto l'area di gioco, ma ne restava ai margini, nel suo sbiadito abitino, e osservava gli altri. I capelli erano ordinatamente divisi in due boccoli color rame che le ricadevano ai lati del viso, e il sole li spruzzava di una specie di pulviscolo satinato. Teneva le ginocchia serrate una all'altra, e le sue dita stropicciavano l'orlo sollevato dell'abitino. Per il resto, era perfettamente immobile, un'attenta spettatrice. Quando uno dei bambini si esibiva in qualche acrobazia e tutti gli altri scoppiavano a ridere — un ragazzino si dondolava a testa in giù, appeso per i piedi alla sbarra più alta, a pochi metri da quella sconsiderata della Bloomfield! — negli occhi e sulle guance di Beulah balenava un esitante, quasi timoroso, sfavillio, quello che Claire, la sorella maggiore di Brill, avrebbe chiamato uno *shmeykhele*, lo spettrale divertimento di chi si trastulla con la propria desolata solitudine interiore. Molto tempo dopo, ripensando a quella circostanza, avrebbe concluso che, probabilmente, lei fosse stata affascinata da qualche immagine curiosa e singolare: le gambe del ragazzo ciondolante intrecciate all'incrocio delle sbarre, e tutta quella profusione di foglioline che fluttuavano sullo sfondo. A parte quell'esitante mezzo sorriso, timoroso di esprimersi, Brill non riuscì a leggere alcun'altra emozione su quel visino, esile ed ovale come il profilo di un'antica moneta. Rilevò soltanto che, mentre gli altri razzolavano su e giù come oche nell'aia, rincorrendosi e spintonandosi, strillando ed accalcandosi, la figlia della pensatrice era del tutto priva di amici. Non che l'irrequieta baraonda la evitasse, piuttosto non si accorgeva di lei. Fosse stata la figlia di qualcun altro, Brill non l'avrebbe certo compatita; in realtà non provava compassione nemmeno per lei. Tuttavia ne era ugualmente dispiaciuto. Si era messo in osservazione con un ferreo proposito: sottoporre la figlia di Hester Lilt ad un esame minuzioso. Aveva sperato di riuscire a sbrogliare, a decodificare la madre. Da qualche parte, nell'intimo di quella bambina si celava il mistero della sua ineffabile madre. I figli racchiudono sempre le madri; aveva potuto verificare che si trattava di una regola senza eccezioni, avendo fissato lo sguardo migliaia di volte sulla sagoma di un'unghia del pollice, che gli era parsa familiare a causa dell'unghia del pollice della madre, oppure la sua attenzione era stata attratta dal ripetersi di un gesto insignificante, anche qualcosa di impercettibile come il lievissimo movimento di un muscolo della spalla. Sempre, in ogni particolare, si rivelava la stravaganza riproduttiva della natura: nella pelle, nella caviglia, nella posizione delle orecchie rispetto all'attaccatura dei capelli, nel profilo di un labbro; ed ancora di più, in una smorfia, in una parola, in una bugia; e specialmente nella sfrontatezza; specialmente nell'arroganza. Il timido genera il timido (benché pochi fossero i timidi), l'aggressivo genera l'aggressivo.

Il Direttore Brill, inginocchiato sul suo letto a sbirciare giù nel cortile, non scorgeva nulla dell'enigmatica madre nell'enigmatica figlia.

All'inizio del secondo anno di scuola Beulah Lilt, naturalmente, aveva imparato a leggere. In quanto all'altro insegnamento fondamentale — le Scritture — era scarsa. Era scarsa pure in aritmetica. Ed era scarsa anche la sua «partecipazione al lavoro di classe»: non alzava mai la mano per offrirsi di rispondere. Si supponeva che non sapesse le risposte. A volte le sapeva, a volte non le sapeva. Nella classe si era già delineata quella gerarchia destinata a mantenersi un anno dopo l'altro: si poteva già immaginare quali sarebbero stati i favoriti di Gorchak. Gorchak aveva i suoi favoriti. Così pure la signora Seelenhohl, ma mentre i favoriti di Gorchak erano quelli capaci di accaparrarsi i voti più alti, l'indolente Seelenhohl preferiva quelli che erano più spigliati e perseveranti nel «partecipare al lavoro di classe». Stimava la loquacità, e premiava i più ciarlieri ed istrioni incoraggiando ciò che chiamava «opinione studentesca», «analisi autonoma», «discussione democratica» — il suo vero scopo era riuscire a impiegare la propria ora senza doversi preparare una lezione. Brill sapeva bene che la Seelenhohl era un'ipocrita e una scansafatiche, tuttavia era una delle poche insegnanti, oltre a Gorchak, capaci di mantenere la disciplina. Non c'era mai chiasso o disordine nella classe dove teneva lezione; adottava un terrorismo occulto. Brill non era mai riuscito a scoprire quali fossero i metodi della sua tirannia. Ogni volta che apriva la porta della sua aula restava impressionato dalla calma che vi regnava. Eppure, qualcosa di inespresso nelle file di visini che lo fissavano suggeriva intimidazione; i bambini avevano paura della signora Seelenhohl. Come riusciva a intimidirli, con quali minacce? Era forse la sua voce, o qualcosa di brutto nel suo aspetto? Aveva un lungo sorriso da coccodrillo: era tutta denti, da un orecchio all'altro, eppure a guardarla, nel suo lindo abitino, le scarpette basse e le calze di seta, quel sorriso aperto che le illuminava il viso grazioso, chi poteva aver paura di lei? Le file di banchi erano perfettamente allineate. Non si sentiva un rumore, soltanto la vacua enunciazione di un'«opinione studentesca» che si allungava e dilungava, come un filo di bava.

Brill non invitò più Hester Lilt a tenere un discorso ai genitori. Lei non lo invitò più ad una sua conferenza. Comunque, le sue conferenze erano piuttosto rare. Lui si teneva informato — non gli sfuggiva nulla di ciò che usciva dalle labbra o dalla penna di lei. L'ardente, intricata ragnatela di enigmi, la vulcanica attività della mente di Hester Lilt! Era una negromante. Una negromante non può generare una negromante. Nel caso della figlia della pensatrice la legge della riproduzione era venuta meno. Prima che la bambina concludesse il suo quarto anno di scuola, Brill era giunto a convincersi che le previsioni della dottoressa Glypost si sarebbero realizzate. Beulah era una bambina mediocre, e peggio: sembrava soffrisse di una forma cronica di smarrimento. Sedeva immobile come una sordomuta. Quando gli altri bambini si rincorrevano, lei se ne restava ostinatamente ai margini del campo di gioco. Gli insegnanti la consideravano una ritardata. Nel frattempo gli altri mettevano in mostra la propria vivacità e intelligenza — quante risposte sapevano, quanto ingegno, che lampi di arguzia infantile sfoggiavano i più pronti! Uno dei vezzi del Direttore Brill era quello di piombare in una classe senza preavviso ed aggredire gli alunni più bravi con enigmi matematici; oppure afferrava un pezzetto di gesso e scarabocchiava sulla lavagna, in quella calligrafia che gli insegnanti definivano il suo «corsivo europeo», un frammento del mito narrato nell'*Afrodite*:

Amava errare nel chiarore lunare per quelle tranquille radure, reggendo in mano il guscio di una piccola tartaruga al quale erano assicurate due corna d'oro fra le quali si tendevano tre corde d'argento. Quando le sue dita sfioravano le corde, una musica celestiale si diffondeva per l'aere, ben più dolce del mormorio dei ruscelli o dello stormire del vento fra gli alberi o le spighe di grano. La prima volta che suonò tre tigri addormentate si rizzarono a sedere, tanto prodigiosamente ammaliate da quell'incantevole melodia da non arrecargli alcun danno pur avvicinandosi il più possibile, ed allontanandosi poi quando egli smise di suonare. Il giorno seguente molte più tigri si avvicinarono a lui, e c'erano anche lupi, e iene, e serpenti dritti sulle proprie spire

— benché li udisse poi ridacchiare e burlarsi di quei versi non appena si era chiuso la porta alle spalle. Molto tempo prima, Claude gli aveva fatto imparare a memoria l'intero brano: narrava di Orfeo. Restava a lungo fuori della soglia dell'aula, fissando la propria mano bianca di gesso; un'orfica malinconia gli dilaniava l'anima. Anelava una nobile dottrina scolastica — la dolce pena della poesia e l'aggraziata regolarità dei numeri e il fervore logico del Talmud, intrecciati insieme in un arazzo immortale; ma non aveva altro che questi bambini, il più intelligente dei quali non era abbastanza intelligente, la superficiale sfrontatezza delle madri, i padri niente di più che idraulici, gli insegnanti ricettacoli di filisteismo, rozzi, grossolani, incolti, illetterati, gretti, ah! l'ignoranza, la volgarità! Mediocrità, mediocrità! E lui, governatore di tutto questo. Il Reale Ciarlatano.

E lei, Hester Lilt, un'immanente presenza sebbene mai presente: uno spettro. Le innumerevoli riunioni dei comitati di madri — per raccogliere fondi, confezionavano fiori di carta, organizzavano fiere di beneficenza, lotterie, il pessimo gusto dei loro caffè-e-pasticcini, le sedute dal parrucchiere, le lezioni di ginnastica e di tennis e, oh, dio! come se non bastasse, romanzi gotici, ricette per «gourmet», giochi di carte, banalità, le due o tre fra loro che aspiravano a scrivere libri per ragazzi — Brill dava per scontato che lei non avrebbe mai potuto familiarizzare con tutto questo. Indubbiamente le madri — che vedevano in lei soltanto ciò che salta all'occhio — la disprezzavano per il suo distacco. Un bramino fra gli intoccabili, il segno rosso del *bindu* proprio in mezzo alla fronte. Nel suo isolamento Brill coglieva il fulgore scarlatto del proprio luminoso sogno: serenità, concentrazione, civiltà, intelletto, immaginazione. Levitare. Era come se qualcuno avesse impresso sulla sua fronte, una seconda volta (Claude era stato il primo), un marchio sacro. Per qualche mese, dopo quella remota, indimenticabile conferenza (la risata di Akiva, la ricordava con questo nome), Brill vacillò sull'orlo dell'infatuazione; poi si ritrasse. In salvo. Ancora una volta si era fermato troppo presto, ma ne era felice: era ancora nel pieno possesso delle proprie facoltà. Lei lo assorbiva, lo ammaliava, lo affascinava. Non più intimidito, ricorreva spesso al telefono e, stranamente, la trovava quasi sempre in casa, disponibile al suo capriccio, ed abbastanza compiacente da dedicargli ogni volta dieci minuti. Concluse che lei, da parte sua, si sentisse vincolata dal patto che avevano stretto; probabilmente, era tanto disponibile nell'interesse della bambina. Eppure, lui non poteva fare nulla per sua figlia. Proprio non poteva. Vide trascorrere in un baleno il quarto anno, e poi il quinto, e il sesto, il tempo ossessivamente scandito in anni scolastici, e questo trascorrere, questi anni effimeri come comete, erano la sua tragedia, perché non gli era concesso inseguire il tempo fino al suo dischiudersi. Quando Beulah fosse passata oltre il sesto anno, il sesto anno sarebbe rimasto dov'era, del tutto inalterato; il sesto anno, e tutti gli altri anni, erano tutto ciò che aveva; il sesto anno non sarebbe mai svanito nel nulla, a differenza di Beulah; molti bambini sarebbero svaniti nel nulla, ma il tempo non si sarebbe mosso affatto; ci sarebbe stato un nuovo sesto anno, e così sarebbe stato per l'eternità e lui, impotente a sopprimere la sempiternità di tutto questo, si sentiva satollo, nauseato dall'eterna dannazione alla perpetuità. Interminabile saturarsi, come l'Idra dalle cento teste, come l'urna di Keats, ma straboccante.

Nessuna creatura invecchia in un simile inferno.

Nel corso del settimo anno qualcosa, impercettibilmente, mutò. Pareva che Beulah fosse entrata a far parte di una banda. Brill se ne accorse soltanto da qualche vago indizio. Notò che questa banda aveva un capo, che gli altri seguivano come un gregge di pecore. Negli intervalli, si riversavano tutti insieme fuori dell'aula nel corridoio, schiamazzando. La capobanda era una delle ragazzine più intelligenti, la prima fra i favoriti di Gorchak, figlia di una madre temeraria e polemica. La figlia era il ritratto preciso della madre, e rivelava già una spiccata attitudine al comando; era lei a decidere chi poteva correrle accanto e chi invece doveva restare indietro. Era brillante, spiritosa, vanitosa e vivace, tutte le qualità che Gorchak ammirava di più e, dato che aveva un corpo flessuoso, dalla vita sottile, ed era alta di statura — non come può esserlo una bambina, ma proprio come una donna — Gorchak la contemplava con gli occhi dell'amante. Era la sua piccola sposa allieva, la prima ad assecondarlo quando prendeva in giro gli alunni meno brillanti. E quando, nel leggere il *Chumash*, Gorchak si imbatté nella parola ebraica che significa concubina, *pilegesh*, tutta la classe ebbe l'impressione di conoscerne già il significato: eccola, seduta in una fila di mezzo, la *pilegesh* di Gorchak, oscura e splendente, con i suoi bei voti e lo stuolo di servili cortigiani. Mentre Brill ascoltava, la signora Seelenhohl disse a Gorchak: «È strano che Beulah sia in intimità con Corinna», — Corinna era la vivace capobanda — «di solito i ragazzi intelligenti non si accompagnano con i ritardati»; e Gorchak replicò: «In realtà, non l'hanno ammessa nel gruppo, è lei che corre loro dietro». Erano affascinati dagli intrighi della vita sociale dei bambini: chi aveva autorità e supremazia, chi era sottomesso ed umiliato, chi era in ascesa nel gruppo e chi in declino. Erano attratti dal potere di quei piccoli capi come se essi stessi facessero parte della banda; quel potere li logorava. Brill si rendeva conto che, ai loro occhi, il fatto che Beulah fosse la figlia di Hester Lilt non significava nulla.

Gorchak e la signora Seelenhohl si occupavano soltanto del livello di istruzione più elevato — insegnavano ai ragazzi del settimo e dell'ottavo anno — e Beulah era ormai nelle loro mani: nelle mani di Gorchak, che pretendeva che si imparassero a memoria le risposte giuste; nelle mani della signora Seelenhohl, che non pretendeva risposte, ma soltanto espedienti e congetture. La «materia» della signora Seelenhohl erano gli Studi Sociali — cioè, la storia, ma che cosa era per lei, cosa immaginava che fosse la storia? Diceva a Brill che stava «educando le loro menti», proprio lei, con quel suo osceno ghigno da coccodrillo, le sue linde scarpine, la sua vulgata democratica e la sua occulta tirannia! Un giorno una delle madri — non c'era da stupirsi, era proprio la signora Dorothea Luchs, la temeraria madre di Corinna — piombò ruggendo nell'ufficio del Direttore Brill, per informarlo che la signora Seelenhohl qualche giorno prima aveva assegnato un compito e poi annotato il voto di ciascuno — e che un pomeriggio Corinna, alla testa della sua banda, aveva aperto un cassetto della cattedra dell'insegnante e vi aveva trovato la pila di compiti, non ancora corretti ed, evidentemente, neppure sfogliati. Il giorno precedente la consegna delle pagelle, Brill buttò giù un appunto:

Gentile signora Seelenhohl,

sono stato informato che, a quanto dicono alcuni alunni, gli elaborati della sua esercitazione di fine trimestre sull'Impero Romano giacciono tuttora in un cassetto della sua cattedra, non ancora corretti. Malgrado lei non abbia ancora esaminato i suddetti compiti, appare evidente che è riuscita in qualche modo a intuire come andasse valutato ciascuno di essi, dal momento che questo ufficio è già in possesso delle sue pagelle relative a questo trimestre. Devo dedurne che lei abbia preferito inventarsi i voti, piuttosto che trovare il tempo di leggere il compito di ciascun alunno. Naturalmente, è prerogativa indiscussa dell'insegnante decidere cosa abbia e cosa non abbia «valore», cosa debba e cosa non debba concorrere a determinare il suo giudizio sulle capacità ed i progressi di un alunno. Tuttavia, non correggere e non riconsegnare i compiti è, moralmente e pedagogicamente, più colpevole che non assegnare affatto compiti. Insegna ciò che nessun voto, buono o cattivo, può insegnare — e cioè, che gli adulti talvolta predicano bene e razzolano male, che un adulto è talvolta capace di mancare di parola, che lo sforzo non sempre è meritatamente ricompensato, che la reputazione di un individuo è immutabile e non può essere emendata da alcun miglioramento, che la redenzione non è che una chimera, eccetera. Tali incidenti incoraggiano nei bambini un atteggiamento fatalista (contrario ai nostri insegnamenti religiosi), oltre che produrre rassegnazione e sconforto.

A mio parere, il problema non consiste tanto nel fatto che lei abbia assegnato arbitrariamente i voti (le sue congetture potrebbero benissimo essersi avvicinate alla realtà), ma piuttosto nel fatto che, essendo i bambini convinti che il compito fosse stato loro assegnato in buona fede, a prescindere dal fatto che l'insegnante avesse o meno *intenzione* di tenerne conto, nello scoprire che questa buona fede è venuta a mancare si sono persuasi che si è abusato della loro fiducia. È necessario che gli alunni abbiano assoluta fiducia nella meticolosa accuratezza dell'insegnante — e insisto, accuratezza non tanto nelle valutazioni, quanto nel guadagnarsi la loro fiducia. Altrimenti essi finiranno per percepire il mondo essenzialmente come un'arena dove si combatte con l'inganno e la perfidia. È già abbastanza difficile, in qualunque condizione, affrontare la vita nel rispetto delle virtù morali, e il vasto mondo è, qualche volta, proprio un'arena di inganni e perfidie. Ma noi che pratichiamo l'insegnamento, noi che siamo chiamati ad adempiere la missione socratica e profetica, non dovremmo *noi*, almeno, impegnarci a non permettere che la nostra fetta di mondo diventi un'arena per primi inganni e precoci perfidie?

Se verrò a sapere che si sono verificati altri incidenti di questo genere, voglio sperare che lei giudicherà opportuno, per il prossimo anno, trovarsi un impiego altrove.

In fede,
Direttore J. Brill
Scuola Elementare «Edmond Fleg».

Era orgoglioso di questa lettera. Come era ben scritta! C'era voluta un'intera nottata. Lo faceva sentire più vigoroso, più elevato; era come se avesse nobilitato sé stesso ricostruendo, coccio per coccio, un palazzo quasi dimenticato. Una volta, aveva saputo di essere proprio quel nobile animo, quell'uomo franco e leale seppellito in un sotterraneo d'Egitto, che possedeva il dono di esprimere l'ideale in parole concrete. «È necessario che gli alunni abbiano assoluta fiducia nell'attenzione meticolosa dell'insegnante — e insisto, attenzione non tanto nei voti, quanto nell'instillare in loro la fiducia». Mentre scriveva questa frase, proprio mentre le parole vibravano come colpi di frusta, gli sembrò che i suoi organi vitali si dilatassero nel loro involucro di carne, e fu come quando indugiava nel verde silenzio dopo la scuola, sporgendo il petto verso la strada.

Buttò giù un secondo appunto; ma questo, soltanto immaginario. Gli danzava seducentemente dentro la testa:

Gentile signora Dorothea Luchs,

sua figlia, per quanto alta e graziosa, è una spia e una potenziale distruttrice di giovani e vecchie vite. Ficcando il naso nei cassetti della cattedra della signora Seelenhohl, mi ha pressoché obbligato a mettere a repentaglio l'impiego di un'insegnante altrimenti soddisfacente, non più incompetente di molte altre e, in quanto ad affidabilità, preferibile alla gran parte delle sue colleghe. Inoltre, ho osservato attentamente sua figlia. Si guadagna la sua cosiddetta «popolarità» mediante l'esclusione. Beatifica i suoi prediletti. Gli altri li scarta. Questo è proprio ciò che si usa definire una «cricca». Sua figlia ha ridotto la piccola Lilt al ruolo di seguace. Per di più, è probabile che i buoni voti di sua figlia siano dovuti soltanto alla sua sfrontatezza, e all'ignoranza di insegnanti incapaci di distinguere fra il santo e la volpe.

Infine, non spedì neppure la prima lettera. Temeva che la signora Seelenhohl si offendesse e andasse *veramente* a cercarsi un impiego altrove, e cosa avrebbe fatto allora? Dove avrebbe trovato un'altra insegnante di Scienze Sociali che, per un salario tanto misero, possedesse la stessa abilità di tenere il registro ordinato e la classe disciplinata?

Sulla pagella di Beulah Lilt la signora Seelenhohl scrisse: «Beulah è una bambina tranquilla che potrebbe impegnarsi di più». Gorchak, gelidamente, scrisse: «Beulah guarda troppo spesso fuori della finestra. Perciò ci si può aspettare soltanto che rimanga relegata al più infimo livello».

La pagella ritornò vistata dalla firma virile di Hester Lilt. Lo spazio riservato ai «Commenti dei Genitori» era in bianco. Da quel momento Brill non si aspettò più nulla. Era come se lei avesse deciso di fingersi senza prole. Non aveva nulla di materno. Nel frattempo le altre madri, il giorno immediatamente successivo alla consegna delle pagelle, parcheggiarono tutte insieme le loro automobili nello spiazzo selciato di fronte alla scuola e ne balzarono fuori come un'orda furiosa, brandendo i testi di vecchi compiti, conteggiando punti, invocando cambiamenti, esortando a tener conto di malattie e giorni d'assenza, giustificando e denunciando: la signora Bloomfield in lacrime, il mento sporgente di Gorchak come un'ascia di pietra rosea, e la signora Seelenhohl, rivelando in mezzo a quella confusione un tic insospettato, che faceva schioccare i denti con un suono metallico. E il direttore stesso, assediato nel suo tenebroso ufficio. Ad una parete era appeso un trio di saggi: Spinoza, Einstein, Freud. Tutti e tre sembravano immersi in un profondo letargo — Freud si guardava i lacci delle scarpe, uno dei quali si era slacciato e giaceva sul pavimento, come un verme. Soltanto la signorina Fifferling, l'insegnante del terzo anno, la schiena dritta come una sentinella, rispondeva agli strilli della falange di madri.

Hester Lilt non comparve né quel giorno né alcuno dei successivi. Si teneva a distanza. Non le importava nulla della propria figlia? Non si rendeva conto che Beulah era in disgrazia, che Beulah era irrecuperabile, che Beulah era motivo di vergogna? Brill aveva l'impressione di essere l'estenuato custode di un segreto infinitamente triste: la figlia non era pari alla madre. Si domandava se la madre ne fosse consapevole; e come poteva non esserlo? Ed essendolo, come poteva non affliggersi? Le telefonò; intendeva parlarle della pagella di Beulah. Ma lei non glielo permise. Non volle nemmeno pronunciare il nome di Beulah. Se le parlava delle stelle, era pronta ad ascoltarlo; se le parlava dell'universo, o delle sue sorelle, o delle sere d'inverno nella Parigi della sua fanciullezza, o di suo padre, di sua madre, dei suoi vecchi maestri (fossero

Pult o Gaillard), di alcune traduzioni, di pedagogia; se introduceva nel discorso alcuni aspetti del Talmud, qualche impercettibile discrepanza ancora inesplorata — come si faceva attenta allora, quanto disponibile ad ascoltarlo! Però non doveva parlarle di Beulah. Non appena vi accennava — riferendole, ad esempio, quanto Gorchak riprovasse la sua scarsa loquacità, o come la signora Seelenhohl non si curasse affatto di lei — lo costringeva abilmente a cambiare discorso. Finì per riferirle un episodio che non avrebbe mai immaginato di raccontare a qualcuno: come il rabbino Pult, un giorno, avesse chiamato Gabriel e Loup accanto al suo scranno fra le bottiglie scure di salamoia (nel racconto non accennò alle bottiglie, e neppure al retrobottega della *poissonnerie*), e avesse sussurrato all'orecchio dei suoi giovani fratelli: «Dissentite sempre. Dissentite, dissentite»; e come lui, ancora bambino, ne fosse rimasto terrorizzato, immaginando che il rabbino intendesse corrompere i suoi fratelli allontanandoli, alla loro età, dalla società della gente normale.

«Erano dei ragazzi già grandi», le spiegò. «Avranno avuto poco meno di vent'anni».

«E lei?», domandò Hester Lilt.

«Un bambinetto».

«Ed anche allora si preoccupava di cosa fosse normale e cosa non lo fosse? Persino a quell'età?».

«Ho sempre riflettuto sull'anormalità», le rispose. «È una forma di autoestimazione».

Era un'uscita piuttosto fiacca, ma lei passò oltre. «Cosa aveva inteso dire... Pult, il suo rabbino Pult?».

Una citazione dal catechismo. Che occasione per sfoggiare con lei il latino! «*Odi profanum vulgus*. Era questo il senso».

«Davvero?», rifletté lei. «Intendeva soltanto metterli in guardia da ciò che la gente ama? Niente di meno frivolo?».

Il rabbino Pult accusato di non essere abbastanza austero — era proprio un bel quadretto! «No, no», si affrettò a spiegare, «era il suo modo di esortarli a dare per scontata la banalità di gran parte della gente».

«Perché, la maggior parte della gente è banale?».

«Sì», confermò lui, incalzato da quella reiterazione; avvertiva ancora una volta la sua sottile ironia.

«Che cosa accadde di lui?».
«Del rabbino Pult?».
«Pult».
«È scomparso».
«E i suoi fratelli?».
«Scomparsi».
«Quindi quella valutazione non era tanto corretta, non crede? Se gran parte della gente fosse banale, non rimorchierebbe via altra gente. Passerebbe la vita a visitare i musei».

Quest'affermazione gli sembrò tanto drastica e cinica da non sapere più cosa pensare di lei. E quell'accenno ai «musei»! — quasi avesse voluto consapevolmente burlarsi della sua via traversa, benché, fra tutti i racconti della sua fanciullezza, non avesse mai accennato a quell'episodio. Il suo viso gli era sembrato lo stesso viso, sorretto dallo stesso collo robusto, di Madame de Sévigné; ma soltanto quell'unica volta, e poi mai più. Eppure, sentiva ancora che in qualche modo lei era coinvolta nella via traversa, ed in ciò a cui conduceva; era un'europea, come lui. In un attimo, si era sbarazzata di Pult: il suo venerabile maestro di imperitura memoria. Eppure anche lei dissentiva. Lei più di chiunque altro. Lei per prima.

«Non è ciò che fa anche lei?», replicò. «Lei sovverte l'ordinario. Lei cerca l'inatteso in ogni cosa. Lei dissente».

«Io non dissento su nulla», dichiarò lei. «Non mi metto mai in contraddizione con me stessa».

Gli fu chiaro che, per quella volta, non avrebbe ottenuto altro da lei. Si era avvicinato fin troppo alla sua vita segreta — le aveva parlato del rabbino Pult, dei suoi fratelli Gabriel e Loup. Le sue perdite. Fra di loro avrebbe dovuto instaurarsi quel vincolo che accomuna le vittime. L'Europa, la galassia cannibale. La Gerusalemme parigina di Edmond Fleg, una rovina fumante. Era evidente quanto la Francia fosse l'Egitto. Ma lei aveva concluso. Gli aveva concesso i soliti dieci minuti, ed ora lo lasciava per tornare — a che cosa? Sembrava starsene sempre in casa, diversamente dalle altre madri che si affannavano di qua e di là. Una cascata di libri, e la sua schiena femminea curva su di essi. Cercò di immaginarla, come altre donne, china sui fornelli, intenta a preparare la cena per Beulah. O accanto alla finestra, in attesa del bus della scuola.

O sporgersi dietro le spalle della figlia, per controllare che facesse i compiti. Tutti questi atteggiamenti ordinari non le si adattavano. Era come se fosse sfuggita al proprio corpo, e al frutto del proprio corpo. Era come se la sua vita fosse priva di eventi; come se non le fosse mai avvenuto nulla. Solo pensiero. Era libera dagli eventi perché era al servizio dell'idea. Eppure la bambina esisteva, era nata, nel solito modo, da dove si biforca una donna. A dispetto delle sue asserzioni, lei era in contraddizione con sé stessa: aveva dato vita al proprio opposto. Opposto è anche avverso; forse lei odiava la bambina, la sua vacuità la disgustava, la sua insipienza la umiliava — o forse non si curava affatto di lei? Eppure la bambina era nutrita, vestita, accudita. La pensatrice parlava mai con sua figlia? Gli sarebbe piaciuto poter origliare, all'ora di coricarsi.

Invece, convocò Beulah nel suo ufficio. Le sue ragioni erano quelle di sempre: scaltre. Ma questa volta non avrebbe esplorato la figlia alla ricerca della madre; era proprio la figlia l'oggetto della sua indagine. Osservandola durante la ricreazione non aveva concluso nulla. Ed irrompere di nuovo nell'aula sarebbe stato ugualmente inutile: Beulah non avrebbe nemmeno alzato gli occhi. Anche ora, le mani nascoste dietro la schiena, strusciando le gambette esili come fuscelli l'una contro l'altra, rimaneva a testa bassa, così da rivolgere verso di lui la scriminatura dei capelli, come una bianca bocca serrata alla sua inquisizione.

«Ti ho fatto chiamare per conoscerci meglio, Beulah».

Silenzio.

«Dopo tutto, tua madre ed io siamo buoni amici. Abbiamo avuto tante conversazioni interessanti su numerosi argomenti interessanti. Ma non c'è bisogno che ti parli delle doti di tua madre...»

Silenzio, come un'interruzione. Sollevò il mento, e i suoi occhi si volsero all'insù, come pietre verdi. Lui cercò di leggervi dentro, ma senza risultato. Era inespugnabile. Non poteva certo biasimare gli insegnanti per la loro insofferenza, di fronte a un tale paio d'occhi, freddi e insensibili come pietre.

«Devi essere proprio orgogliosa di una madre come la tua, che certamente ti insegnerà tante cose straordinarie. Anche *a me*, sai, tua madre ha insegnato molte cose straordinarie. Tua madre è una fonte inesauribile di erudizione, non credi anche tu?». Lei abbassò di nuovo la testa, tagliata da quella pallida linea silenziosa.

Lui era ben deciso a provocare una reazione. «Ho notato che sei diventata amica di Corinna Luchs. Siamo tutti molto orgogliosi di poter annoverare Corinna fra le nostre allieve. Molto probabilmente sarà lei l'anno prossimo a tenere il discorso durante la Cerimonia Inaugurale. Per lo meno, il signor Gorchak ne è convinto. Tuttavia non mi sorprenderebbe, benché Becky Gould la talloni molto da vicino. Sono entrambe studentesse molto meritevoli, e le loro madri si impegnano con molto zelo nel Comitato Genitori e Insegnanti. Non sapremmo come fare senza la signora Luchs — è abilissima nell'assicurarsi la collaborazione delle altre madri, e con l'ultima lotteria sono riuscite a raccogliere ottocento dollari. E tutto per merito della madre di Corinna, l'idea del tè in costume è stata sua». Una pausa. «Ti piace Corinna, non è vero?», concluse.

Un'impercettibile scrollata di spalle.

Come era possibile una tale assenza di linguaggio? Pazienza, se non aveva la lingua pronta come le altre, ma come era possibile quella totale assenza di linguaggio? Si levò dalla sua sedia Bristol (in quel momento la mano di legno sembrava ancora più spaventosa, aberrante parto della mente di un artigiano impazzito), girò attorno alla scrivania e, prendendola per la rigida manina, la guidò davanti alla fotografia di Freud, innervosito da quella scarpa slacciata, ai grandi occhi come specchi scuri di Spinoza, e a Einstein, dall'aria distaccata di un santone indù.

«Sai chi sono gli uomini qui ritratti, Beulah?».

Lo lasciò attendere, la sua testa ostinatamente muta.

«Sono uomini», dichiarò, «che non erano mai in contraddizione con sé stessi. Sai cosa significa, Beulah? Neppure io sono sicuro di saperlo. Domandalo a tua madre — sono parole *sue*. Tuttavia, posso dirti che questi uomini geniali non si sono mai fermati troppo presto. Sono andati sempre avanti, fin dove potevano condurli le loro menti, e le loro menti li hanno condotti molto lontano. Tu sai che cosa è un genio, Beulah?».

Lei sollevò verso di lui le due pietre verdi, e lui indirizzò contro di loro le sue parole. «È qualcosa che né tu né io potremo mai essere. Tu non sei un genio, e neppure io lo sono. Tu e tua madre chiacchierate spesso?».

«Qualche volta...», a voce bassissima.

«E a proposito di che cosa?».

La solita scrollatina di spalle. «Cose».

La rispedì in classe. Era stato totalmente inutile. Aveva sperato di poter confutare le conclusioni della Bloomfield, della Seelenhohl e della dottoressa Glypost, di penetrare nella stiva della nave che affonda e trovarvi l'infante rapito.

Nel pomeriggio, un gran trambusto: Corinna Luchs alla guida della sua banda; Beulah le correva ansiosamente dietro.

Abbandonò la figlia di Hester Lilt al suo destino. Lasciò che la propria curiosità svanisse; rinunciò. Si era preso fin troppo disturbo — Beulah non era la prima bambina ottusa che frequentava la sua scuola. E non sarebbe stata l'ultima. La sua scuola non era la Sorbona dei bambini; nonostante il Doppio Programma, era soltanto una mediocre scuola americana. La volgare America. I suoi figli erano privi di linguaggio. Ogni primavera, nel corso del suo sermone annuale, egli ripeteva *ad astra*, ripeteva *ad astra* alla sua platea di madri. Usava il latino di Abelardo per raccontare fandonie, perché il tempo rabbrividisce mettendo a nudo la perpetuità. Di mattina, correndo sulla spiaggia, avvertiva l'angoscia della propria condizione di insegnante. Era disgustato dalle vestigia della natura: figlie che diventano madri, l'imperitura prima classe, l'ottava che immancabilmente si risveglia alla pubertà — anche a Beulah, che aveva ancora le gambe esili e scarne come fuscelli, si stavano già inturgidendo i seni. Entrò nel suo ottavo anno di scuola senza che lui ci facesse caso. Lasciò che scivolasse via. Era ormai affondata; lui non se ne preoccupava più. Pensava a Hester Lilt, ma non a Beulah Lilt. Aveva reciso la figlia dalla madre; era né più né meno quello che aveva fatto la madre stessa. In una gelida alba sulla riva del Flegetonte, mentre osservava ogni nuova onda sostituirsi con esattezza alla precedente, gli sovvenne che stava morendo di immutabilità; stava morendo per l'assenza di morte — la sua ragione era spodestata, era come un selvaggio incapace di penetrare il legame fra copula e procreazione. Non poteva nemmeno immaginare la fine, ai suoi occhi nessuno invecchiava.

Il bagnasciuga era una nevicata. Le suole delle sue scarpette da ginnastica venivano rapidamente risucchiate e sepolte. Le onde erano candide, come chiome nevose che si tosassero da sole. La pallida alba esitava di fronte a tutto quell'ingannevole candore. Nel gelo, immerso in quella neve-sabbia butterata di primordiali conchiglie (la vita dentro di loro lavata via, scalzata, divorata, decomposta, i gusci erano lucidi, perlacei, candidi come neve), egli decise di sposarsi.

Era la stagione delle assunzioni. Nuovi giovani insegnanti affluivano nel suo ufficio, e lui li sottoponeva a selezione: questo è troppo arrogante, quell'altra rischia di rimanere incinta troppo presto. Rivolgeva qualche domanda e lasciava via libera alla loro loquacità. Gesticolando, concionavano sull'educazione dei bambini, mentre lui sfogliava le loro referenze. In ogni incartamento leggeva stupidità; nei loro volti, singolarmente, la stupidità si combinava alla vivacità. In realtà erano una strana razza di guitti da teatrino popolare, saltimbanchi da varietà e, in aggiunta a questa vocazione per l'istrionismo, coltivavano un'inclinazione alla tirannia e al predominio. Le giovani donne parlavano spesso dell'amore; esse amavano i bambini, volevano «lavorare con» i bambini, e proprio in questo, a giudizio di Brill, si celava il pericolo: esse non amavano l'istruzione, o il lavoro. Non amavano i verbi. Non amavano le combinazioni di numeri simili o dissimili. Non amavano le carte geografiche. (Pult insegnava: *Dall'amore per l'istruzione nasce l'amore per chiunque si istruisca. In assenza dell'amore per l'istruzione può esistere soltanto egoismo.*) Assunse le più vivaci; ai genitori fecero un'ottima impressione, benché fossero anche le più matrimoniabili. Tuttavia, restava irrisolto il caso di Dina Fifferling, una delle più abili nel mantenere la disciplina. Nella sua classe, come in quella della Seelenhohl, non si sentiva volare una mosca. Si udiva soltanto la monotona cantilena delle lunghe, lunghissime liste di vocaboli proprie della signorina Fifferling. Trattava gli alunni del terzo anno come fossero spie nemiche. Temeva il sabotaggio. Aveva un mento ardito, un ammirevole naso ovoidale ed agili palpebre da lince; era petulante da capo a piedi; i capelli erano elettricamente dritti, come un velo di particelle negative. Brill era convinto che si sarebbe certamente fidanzata prima della fine dell'anno. Inaspettatamente, piombò nella più affidabile condizione di zitella. Divenne arcigna e non lasciò l'impiego. Brill la sospettava di eccessiva durezza di cuore, ma nessuna delle madri venne a lamentarsene. Tuttavia, era certo che praticasse una crudele consuetudine: leggeva ad alta voce i nomi degli alunni che avevano meritato i voti peggiori e questo, in qualche modo, intimoriva le madri di quelli meno bravi. Aveva letto alla classe, con regolarità, i voti di Beulah Lilt. Ma la signora Dorothea Luchs non perdeva occasione per intessere le lodi della signorina Fifferling: Corinna era l'unica allieva che la signorina Fifferling — in dieci anni di insegnamento — avesse mai baciato.

Brill assunse quattro nuove insegnanti, tutte giovani donne. Era stato tentato di assumere un giovanotto, uno studente *jeshivah* dalla voce soave, ma poi ci aveva ripensato: quel ragazzo dai languidi occhi da cammello sarebbe ben presto diventato un capofamiglia, avrebbe avuto bocche da sfamare, la sua voce si sarebbe incupita, e avrebbe preteso troppo denaro. Frattanto il suo ufficio era entrato in crisi: l'impiegata addetta all'accettazione aveva avuto di che ridire con una delle segretarie, e si era licenziata. Come d'abitudine Brill assunse una nuova impiegata, e lo fece con un certo piacere. Era un atto limpido e conseguente. Gli piaceva l'idea di un'impiegata addetta a quella mansione: il bizzarro borbottio umile e subalterno, la modestia di quella qualifica, il sobrio e monotono fruscio del lavoro di classificazione, la promessa di zelo e precisione. Non c'era tormento in alcuna di queste cose. Affidò l'impiego a una ragazza di ventinove anni, dai capelli raccolti in una crocchia fuori moda, neri e lucenti come catrame fresco, e una frangetta che sembrava umida di inchiostro blu notte, una divorziata che viveva sola con il figlio, un bambino di sei anni. Appariva irragionevolmente alta, più alta di qualunque segretaria, più alta degli insegnanti, più alta di Brill stesso, e questo lo affascinava. Era attratto dalle altezze, di qualunque genere.

Per telefono, continuò a importunare Hester Lilt con il racconto di aneddoti della propria vita. La aggrediva, pervicacemente. L'uso dell'apparecchio gli dava sollievo. La cecità di quelle conversazioni gli faceva l'effetto di trovarsi di fronte alla grata di un confessionale: si sentiva contemporaneamente celato ed esposto. Dell'aspetto di lei ricordava soprattutto la cascata di capelli bianchi, il raro sorriso come di magistrato inquirente, vagamente sospettoso. Lei analizzava minuziosamente i suoi aneddoti fino a individuarne le conseguenze. Ogni immagine, spiegava, ha una sua logica: ogni storia, ogni favola, ogni metafora, ogni capriccio, è abitata dal linguaggio che si merita. Noi giudichiamo un mito sulla base della sua concreta influenza, e siamo obbligati a interrogarlo su questioni eminentemente pratiche: qual è il suo senso? Chi dovrebbe rispettarlo? Quali saranno le conseguenze? Che cosa insegna a proposito dell'invidia, la crudeltà, la lussuria, la speranza, la crescita, il potere, la scelta, la fede, la pietà? Quale bocca dovrebbe accoglierti? (Pult: *Perché accade che la cicogna, amorevole genitore, è evitata come fosse impura?*). Da parte sua, Brill non aveva ancora scoperto il dato più semplice riguardo la vita di lei — era la moglie di qualcuno? E di chi, allora? Cerca la sostanza del linguaggio, lo istruiva lei, cerca l'idioma nel deserto della narrativa; diffida della poesia. Lui già lo faceva. In realtà i cieli non sono che ammassi gassosi e parlano il linguaggio della fisica. Le raccontò che una volta, quando era ancora un ragazzo — aveva appena cominciato a studiare i vapori — gli era capitato di pregare molto profondamente. Quel pomeriggio la liturgia aveva penetrato i segreti canali del suo cervello; comprendeva per la prima volta l'attività della propria bocca, benché avesse salmodiato ogni giorno quelle stesse parole fin dall'adolescenza, e gli fossero familiari come le lenzuola del proprio letto. Quelle sillabe note e addomesticate avevano all'improvviso assunto la fisionomia di un incantesimo, di un'illuminazione. Era stordito da ciò che riuscivano a comunicargli. Aveva lasciato il tempio esultante, enigmatico persino a sé stesso. Mentre attraversava la soglia qualcuno gli aveva rivolto la parola, un compagno di scuola. Brill l'aveva respinto seccamente. Era caustico; era freddo e raggomitolato nella propria estraneità. Il rabbino — era Pult — era uscito e l'aveva richiamato indietro. «Joseph», gli aveva detto, «torna dentro a pregare. Oggi non hai pregato». «Rabbino», aveva protestato Brill, «ho appena terminato le mie preghiere. Mi hai visto. Mi hai sentito». Pult aveva replicato: «Se tu preghi e poi vai fuori e offendi qualcuno, allora non hai pregato».

Era accaduto nel pomeriggio del giorno in cui Claude lo aveva chiamato Dreyfus.

Dall'altro capo del filo non venne alcuna replica. Poi, bruscamente, Hester Lilt disse: «Lei non è mai venuto a farci visita. Perché?».

Così vi andò. Era un martedì pomeriggio qualsiasi, e lui si sentiva inebriato; ogni cosa lo deliziava. Era abituato ai moderni palazzi d'appartamenti con gli alberelli nani ed i muretti di finti mattoni dei quartierini residenziali dove abitavano tutti gli altri. Si compiacque che lei invece abitasse in un modesto edificio nel centro di una delle cittadine circostanti; era egli stesso un'anima urbana. Hester Lilt abitava tre stanze, arredate all'europea. C'erano meno libri di quanto avesse immaginato — pile ineguali, non troppo alte, sistemate su semplici tavolini. Il mobilio era antiquato. Nulla di lucente — non c'era metallo — e non era tanto ciò che si vedeva attorno a determinare quell'apparenza europea, quanto ciò che mancava. Un pianoforte tutto graffiato, ma nessun'altra fonte di musica, nessun congegno per la riproduzione del suono. Tuttavia, entrando, fu assalito da un gran baccano. Notò quasi subito il telefono: un imponente piccolo feticcio, un idolo nero, l'accesso, il tunnel che lo metteva in comunicazione con lei, ora mansueto e fuori luogo in quello squarcio dell'altro secolo. Lo ipnotizzava. Sembrava un paio di spalle senza testa, circondato da fotografie, tutte dello stesso giovanotto, baffuto, dalle ampie nari. Non osò domandarle se si trattasse di suo marito. «Mio padre. Molto tempo fa», spiegò lei. Sapeva che non gli avrebbe mai parlato di suo padre, di suo marito, della sua vita. Che baccano! La seguì in mezzo a quel misterioso fracasso, che ricordava la scuola, dovunque lo volesse condurre.

Si trattava di una festa di bambini. Cappelli di carta, palloncini, gialle stelle filanti, una tovaglia di carta con al centro un'immagine di Topolino dai rossi bottoni. Una grossa torta rosa quasi tutta mangiata, candeline spente sparse per la tovaglia. Lei aveva organizzato una festa scrupolosamente americana: la cosa più mediocre in assoluto. Riconobbe Corinna Luchs e la sua banda. Al suo ingresso, presero a strillare selvaggiamente — era una camera da letto, un grande ripiano era stato sistemato sopra il letto per trasformarlo in un tavolo. «Direttore Brill! Direttore Brill!», udiva strillare, ma era come impietrito: osservava affascinato il letto della pensatrice.

«Lei è la nostra sorpresa», disse lei.

«Direttore Brill! Direttore Brill!».

In breve dovette soccombere all'assalto della banda — rise, fu spintonato, si sentì intrappolato, lasciò che ridessero delle sue piccole burle; poi se la diede a gambe. Ma era amareggiato. Lei lo aveva attirato nella mediocrità, lo aveva inchiodato al suo solito ruolo. Cercando lei, aveva trovato i suoi alunni. Raggiunse la porta e rimase lì, a infilarsi i suoi guanti da guida.

«Lo sa che non sono sempre il Direttore Brill. Non in ogni istante della mia vita, almeno».

«Certo che lo è», ribatté Hester Lilt.

«Qualche volta sono soltanto Joseph Brill».

«E Joseph Brill è il Direttore».

Straordinario: proprio lei che lo defraudava abitualmente del suo titolo, ora cercava di cacciarglielo in gola con la forza.

«Non in ogni istante», ribatté rabbiosamente.

«È il *compleanno di Beulah*».

Restò di sasso; se l'avesse detto qualcun'altra, l'avrebbe preso per un piagnisteo materno. A quanti compleanni, e con quali lusinghe e stratagemmi, avevano cercato di attirarlo un anno dopo l'altro! Nei primi tempi ci andava se pensava di poterne ricavare qualche sovvenzione per la scuola. Poi smise del tutto di andarci; amministrava la sua popolarità con parsimonia, e loro se lo contendevano.

«Io non partecipo mai alle feste dei bambini. E non faccio eccezioni. Se dovessi prender parte a tutti i compleanni, non avrei tempo di fare nient'altro». E si rese conto che, proprio in quel momento, stava parlando come chi è sempre il Direttore Brill. Da tutti gli indizi — schiamazzi e giochi frenetici — si sarebbe potuto credere che fosse il compleanno di Corinna Luchs o, almeno, quello di Becky Gould. Ora stavano scorrazzando, avanti e indietro fra i tavolini carichi di libri. Corinna era la capobanda. Beulah l'ultima ruota del carro. Beulah a casa non era diversa da Beulah a scuola. Era forse innocente — la madre? Era forse innocente di essere ciò che era? Aveva forse immaginato che lui sarebbe venuto per il bene di Beulah? In quel minuscolo e oscuro vestibolo, la mano guantata già sulla maniglia, studiò come presentare la questione.

«Non sono in grado di fare nulla per Beulah, tanto quanto lei», disse infine.

«Fare nulla?».

Quell'eco lo inasprì. «Il padre. Forse lei assomiglia al padre. Suo padre è forse...». Evitò di concludere. Non avrebbe saputo che parola usare. Irrecuperabile? Muto? Dagli occhi vuoti come pietre?

Soavemente, innocentemente, lei disse: «Lei vuole informazioni».

«Io voglio», cominciò con la stessa asprezza; ma scoprì di non sapere cosa volesse da lei. Aveva provato a leggere *Metafora come Esegesi*, senza assimilarne granché; aveva udito il suo discorso sulla volpe, le api, le galassie cannibali. Cos'altro poteva volere da lei?

Che si liberasse di quella bambina. Che non avesse mai messo al mondo quella bambina.

Aveva cominciato a raccontargli una complicata storia europea. Era la prima volta che gli raccontava qualcosa; questo lo avviliva. Proprio ora che lei era disposta a fornirgli un nome, un destino, Brill tratteneva i segugi. Li ritirava. Non riusciva a capire quale fosse il nome e quale il destino — se suo marito fosse vivo, o lontano, o si fosse risposato; a Londra, ad Anversa, a Lisbona o Leningrado; o dietro la porta della cucina; un filosofo, uno spazzino, un mago o un messaggero — se di segreti diplomatici o di qualche nunzio celestiale, non avrebbe saputo dire; il padre di lei era un torrente, la madre una tempesta, il marito un silenzio oppure un lago di argento vivo. O forse non aveva affatto marito. Pensò alle figlie di Lot, che si erano coricate con il padre durante la distruzione del mondo nell'intento di salvare il futuro. Quel viso dei ritratti accanto al telefono doveva certamente essere del padre di sua figlia. Oppure no. Più lei si concedeva, più si rifiutava. Voleva che lui si impadronisse di tutto e di nulla. Sapeva di essere un frammento di storia, qualcuno ormai dissolto, annichilito; vetusto, nel modo in cui lo è il mondo, dopo la sua distruzione; tutto ciò che un tempo era importante ora non lo è più. Lei era tutta futuro; aveva tagliato il filo della genesi. Solo Beulah era importante. Soltanto Beulah. Allora capì quale fosse il suo errore basilare: non era che lei non fosse materna. Non era nemmeno altro. Era il suo modo di essere passionale. *Amor intellectualis* — per le altre era riflesso, istinto, palpito ed impulso involontario, l'inesorabile ritornello corale della carne. Ma la figlia di Hester Lilt non era nata allo scopo di soppiantare Hester Lilt; era invece la mistica redenzione del filosofo. Egli non poteva sopportare quell'idea. Alla fine lei non avrebbe saputo che farsene del suo Doppio Programma, delle sue civiltà gemelle, delle sue radiose antichità. Avrebbe soffocato qualunque avvenimento, avrebbe rimosso da Beulah ogni residuo di storia. Le avrebbe ripulito a fondo la mente: la bambina sarebbe stata senza padre e senza madre. Un'orfana del futuro. Mentre le bambine scorrazzavano e strillavano, Brill si sentì crollare interiormente. Non c'era più premura né interesse in lui, più alcuna necessità che lei continuasse a spogliarsi e denudarsi. Vergognoso: si sentiva imbarazzato per lei. Desiderava che la smettesse.

La interruppe: «Consideri sé stessa».

«Me stessa?».

«Lei non è niente».

«Niente?», ripeté lei sorpresa. «Chi non è niente?».

L'ultima ruota del carro; la figlia della pensatrice. «Beulah», mormorò, «non ha nulla di lei».

«Lei è tutto. È la mia vita».

«Tuttavia non si fa illusioni», replicò cupamente; ora intendeva meglio. «Si rende conto».

«Mi rendo conto che Beulah è tutta la mia vita».

«La tigre che protegge il suo cucciolo, stupidaggini! Signora Lilt», insisté, «consideri ciò che lei è, consideri le differenze...».

«Non ci sono differenze».

«Sua figlia non ha nulla di lei», ripeté Brill.

«Lei non conosce Beulah. Non sa nulla di Beulah. Non c'è alcuna differenza fra... fra...».

Si meravigliò di sentirla quasi balbettare, le mani protese con le dita aperte, piccole ed esili dita connesse al dorso delle mani da minuscole membrane traslucide. Non terminò la frase: «Lei mi trova diversa dalle altre madri. Non l'ha mai detto esplicitamente, ma posso intuire ciò che pensa. Io sono esattamente come le altre, perché mai non dovrei esserlo?».

Lui cercò di aggirare la domanda. «Lei non si è mai lamentata, neppure una volta. Né della scuola, né di me — mai di me — né degli insegnanti. Non ha mai dimostrato alcun interesse. Ci sono casi in cui la scuola è impotente. Gli insegnanti sono impotenti. Io stesso», concluse, «sono impotente».

«Lei non la conosce».

«Ormai dovremmo conoscerla. È stata con noi per quasi otto

anni». Si scostò dalla porta e le si fece più vicino. In questo modo quel «noi» sarebbe sembrato meno ufficiale. Gli occhi di lei erano minuti e ordinari. C'era una pallida verruca sotto uno di essi, prigioniera di un livido pozzo. Ma vi poteva scorgere la sua terrificante intelligenza. «È lei che non la conosce», concluse.

Tornò in macchina alla scuola — alle sue soffocanti stanzette da stalliere, con vista sul cortile. Gli pareva di intravedere ancora il baluginare di quella piccola pallida verruca sotto l'occhio di lei. Era un'illusa. Non era normale. Credeva veramente di essere come tutte le altre — le madri? O presupponeva che Beulah fosse uno dei concetti più elevati che una mente potesse esprimere? Il mattino seguente convocò lo studente *jeshivah* dalla voce soave e lo assunse. «Un cambiamento nell'assegnazione degli incarichi», spiegò a Gorchak. «Lei è troppo oberato di lavoro, ha bisogno di una tregua. Prenda il posto della Fifferling, in terza». Gorchak era nervoso, la rosea mascella contratta e tremulo il cespuglio di rovi vermigli: «La terza? Ha detto la terza? E che ne sarà della Fifferling?». «Ho deciso di licenziarla». «Dopo un mese dall'inizio dell'anno?». «Non voglio crudeltà nella mia scuola, e non ce ne saranno». «La terza!» sbottò Gorchak; protese il mento simile a un'ascia di pietra, roseo come rabarbaro. «Non si tratta di una retrocessione, Ephraim, non mi fraintenda. Ma qualcuno deve prendere in mano le redini della terza. È un macello». «È la Seelenhohl il vero macello», ribatté Gorchak, «non insegna nulla a quei ragazzi. La Fifferling è a posto. Sa mantenere la disciplina». «Si diletta di svergognare in pubblico i suoi alunni». «Lo faccio anch'io», insisté Gorchak; «li stimola a impegnarsi. Non c'è motivo al mondo perché io debba occuparmi della terza, e non lo farò». «Invece lo farà», replicò il Direttore Brill, e assegnò l'ottava allo studente *jeshivah* dalla voce soave.

Istantaneamente apparvero di fronte alla scrivania di Brill la signora Dorothea Luchs, la signora Edith Horwich, la signora Lenore Billiger, la signora Phyllis Kramer, la signora Vanessa Lichtenberg e la signora Lillian Lebow.

«Il nostro è un comitato», cominciò la signora Dorothea Luchs, «ed esigiamo che l'ottava sia nuovamente assegnata al signor Gorchak. Il suo è stato un atto abominevole».

«Il rabbino Sheskin è un insegnante molto capace», replicò Brill.

«Per ora, non è neppure un rabbino. Non sappiamo nulla di lui. È poco più che un bambino».

«Gli manca soltanto qualche mese al conferimento degli ordini», precisò Brill. «Manterrà l'incarico». Ma aveva paura di quelle donne.

«*Non* lo manterrà», ribatté la signora Dorothea Luchs. «Corinna *adora* il signor Gorchak. Tutti i ragazzi lo adorano».

Il comitato annuì collettivamente: tutte quelle curatissime acconciature, che facevano su e giù. Impiccione. Ginecocrati mancate. Aveva paura di loro, avrebbe voluto allontanarle con un soffio. Da dietro le proprie spalle il Direttore Brill avvertiva lo sguardo severo della genialità, i suoi tre grandi uomini appesi al muro. Li aveva imprigionati lassù come tre soli, perché gli riscaldassero la schiena. Freud, Spinoza, Einstein. La mente, l'universo, l'abisso che li separa. Gli sovvenne che lui viveva nell'abisso. Era una nullità di fronte a quei saggi. Ciò che lui era per loro, quelle donne erano per lui. Immaginò di essere il fango sulla scarpa di Freud.

«Lei non ha il diritto di mettere tutto sottosopra all'improvviso, nel bel mezzo dell'anno scolastico!», strillò la signora Dorothea Luchs, quasi fosse lontana mille miglia, mentre invece era sempre lì, proprio di fronte a lui, tesa come un gatto, lo sguardo fisso sulla mano di legno che reggeva il globo di vetro della vecchia sedia Bristol. Sotto i ritratti dei tre saggi c'era una mensola. E su di essa, fra le vuote conchiglie che Brill trovava sulla spiaggia, giaceva il *Ta'anit* di Pult, e *La Bestia* di Fleg.

Avrebbe voluto soffiarle via: non soltanto la signora Dorothea Luchs, ma anche la signora Lillian Lebow, la signora Edith Horwich, la signora Phyllis Kramer, la signora Lenore Billiger, la signora Vanessa Lichtenberg. Sirene dai remoti lamenti, perigliose. La signora Edith Horwich era bassa, molto giovane, con delle gote da neonato e una sigaretta fumante fra le labbra; la signora Phyllis Kramer teneva in mano un blocchetto per gli appunti da segretaria, ma portava scarpe di raso, che mettevano in mostra — nonostante la pioggia — la mezzaluna cremisi dell'unghia dell'alluce; i seni e i polpacci esplosivi della signora Vanessa Lichtenberg sembravano traboccare energia — eppure gli occhi nel viso largo erano minuscoli e grinzosi come chicchi d'uva passa; la signora Lenore Billiger, astuta e riservata, era intervenuta in via eccezionale, rubando il tempo al lavoro di infermiera d'ospedale, candida e abbagliante nell'uniforme di servizio; la signora Lillian Lebow aveva nella borsa di tela una copia di *Voyager, Glow*, il best-seller che narrava la storia di una ragazza nata in una povera famiglia del Lower East Side che diventa una famosa stella di Hollywood.

Sporgendosi sempre più in avanti, la signora Vanessa Lichtenberg incurvava le spalle massicce in quella che pareva una gobba — si sarebbe detto che fosse stretta nella morsa del gelo.

Volgare argilla, l'articolo più ordinario: non poteva criticare la loro carne. Ma la signora Dorothea Luchs era dotata di una bellezza animalesca.

«Non può farlo nel bel mezzo dell'anno scolastico», intervenne la signora Lenore Billiger. «Non ha senso».

«Non ha senso», disse la signora Phyllis Kramer.

«Non nel bel mezzo dell'anno», disse la signora Vanessa Lichtenberg.

«L'anno è cominciato soltanto da poche settimane. E l'anno scorso vi sembrò che avesse senso», soffiò Brill, sospingendole alla deriva, «licenziare la signora Fischeltier tre settimane prima degli scrutini. Allora, dovreste ricordarvene, mi rompeste le scatole perché mi dimostrassi sensibile alle proteste di alcune di quelle stesse signore che oggi formano questo comitato».

Sapeva che «rompere le scatole» era un'espressione piuttosto volgare; l'aveva usata proprio per questo.

«La Fischeltier era un'idiota», dichiarò la signora Dorothea Luchs. «Aveva insultato Corinna. Non permetteva che le rivolgesse delle domande. Aveva osato definirla una monopolizzatrice. Aveva insinuato che cercasse soltanto di mettersi in mostra. Non permetto che si tratti in questo modo la mia bambina».

Quella sua bellezza animalesca faceva ribrezzo a Brill; era snella e flessuosa come un gatto, o un ragazzo. La sua piccola bocca era adorabile, e ancor più la sua smagliante dentatura. I suoi occhi erano ben distanziati come quelli di un cerbiatto — come quelli di Claude. Quanto era aggressiva, e come disprezzava lui quell'aggressività!

«La Fischeltier era un'idiota», disse la signora Lenore Billiger.

«Ah, quell'idiota della Fischeltier», disse la signora Edith Horwich.

«Quella fascista», disse la signora Vanessa Lichtenberg. «E lei non ha il diritto di cacciare via la povera Dina Fifferling dopo tutti questi anni».

Soltanto la signora Lillian Lebow, con *Voyager, Glow* che faceva capolino dalla borsa di tela, non diceva nulla. Brill aveva saputo che lei a volte lo chiamava Ranocchio. Tuttavia, suo figlio era un ragazzo vivace. Tutti i loro figli erano vivaci come fringuelli.

La signora Dorothea Luchs levò il facinoroso capo. «Dimentichiamo la Fifferling. La Fifferling è acqua passata, che importa di ciò che accade in terza? I nostri figli stanno per diplomarsi, *è questo* il punto. E inoltre», aggiunse rivolgendosi a Brill, «in base a cosa ritiene che Sheskin sia un bravo insegnante? Non lo ha mai visto all'opera. Anzi, non ha mai insegnato!».

Il Direttore Brill non batté ciglio. «Signore» — era la sua apostrofe di comando, il suo accento più imperioso — «comprenderete che lo stesso signor Gorchak potesse desiderare un allentamento della tensione. Non ero autorizzato a divulgarlo, ma voi mi avete obbligato. Il rabbino Sheskin è ancora giovane, e noi abbiamo il dovere di concedergli una possibilità. Permettetegli di dare una dimostrazione della sua tempra. Permettetegli di emergere. *Ad astra*, signore, *ad astra*!».

Le madri, ritraendosi, impigliarono i tacchi nel bordo del tappeto che adornava il suo ufficio, e si fecero sempre più sgarbate, ma Brill mantenne il suo atteggiamento perentorio finché non si stancarono di disputare. Com'erano lontane ora! Un puntolino all'orizzonte. Le aveva sospinte alla deriva con un soffio.

E soltanto ora, trionfante come il dio dei venti, si concesse di gettare un'occhiata dentro le loro segrete dimore: era come se ciascuna delle madri galleggiasse dentro un'oscura casa di bambola, traballante nel tenebroso e infausto centro del Flegetonte, e chiunque potesse andare a sollevarne il tetto sugli argentei cardini e scrutarvi dentro — e dentro ognuna delle case c'era amarezza, speranze che non si sarebbero mai realizzate, ambizioni frustrate, pessimi libri, vecchi e queruli genitori sopravvissuti alla crudeltà delle loro primavere, il servizio buono, uno o due tappetini orientali, una tabacchiera antica, una tragedia, una tragedia!

Eppure, i loro figli non erano deludenti. I loro figli erano vivaci come fringuelli. Anche quando non erano niente di più che articoli ordinari, erano vivaci come fringuelli.

Da quel momento prese ad osservare Sheskin. Il Direttore Brill passeggiava silenziosamente in fondo all'aula e ascoltava la lezione. Capì immediatamente che lo studente *jeshivah* aveva una personalità non comune e sembrava avere una fede profonda nei sacri testi. Era come un candido foglio di carta assorbente attraverso il quale filtrassero le antiche parole. Inoltre non aveva alcuna attitudine ad imporre la disciplina, e Brill cominciava a sospettare che, non appena fosse venuta meno la soggezione che generalmente ispira un nuovo insegnante — quattro giorni, cinque al massimo — la classe che era appartenuta a Gorchak si sarebbe trasformata in un ululante pandemonio. Nel frattempo la voce era soave, fedele al testo che i piatti polpastrelli del giovane rabbino andavano sfogliando. Gli alunni dell'ottava erano chini sui quaderni e Brill, allungando il suo corto collo (eroico, pensava al sacrificio della Fifferling, alla retrocessione di Gorchak), osservava il fiorire di una moltitudine di scarabocchi — tigri, sirene, aeroplani, eroi dei fumetti, occhi e denti disincarnati, fregi ornamentali composti di ali e ghirlande. Sheskin non rimproverava nessuno. Gli scarabocchi si moltiplicavano senza sosta: cerchi, palloncini, uova, orecchie di cane, labbra e seni di donna; sembrava si fosse diffusa una specie di estasi ipnotica. L'aula era in catalessi. Il vecchio Re David stava morendo. Stava morendo proprio in quell'aula. Sbirciando verso il banco di Beulah, Brill intravide il disegno di una casa, e una voluta di fumo. Immaturo. Suppose che il fumo si levasse dal camino. Così disegnavano gli alunni del terzo anno. Osservò meglio: tutta la casa bruciava, e gli alberi che la circondavano, persino il cielo sullo sfondo — un rogo.

La terza, disciplinata con la Fifferling, rimase disciplinata con Gorchak. Ma c'era una differenza: le risate che si riversavano fuori della porta. «Lowell non ci delude mai», declamava Gorchak con la solita sfrontata ironia — si stava divertendo, e aveva dimenticato l'ignominia della retrocessione. «Possiamo sempre confidare in lui, è preciso come l'orologio sul muro. Soltanto, invece di fare tic-tac, fa tac-tic. Lowell azzecca *sempre* la risposta sbagliata», e le risate si riversavano fuori della porta.

Giunse una lettera di Dina Fifferling. Non serbava rancore contro il Direttore Brill: *lui* l'aveva sempre difesa dagli attacchi delle madri. Ma questa volta — lei comprendeva perfettamente — aveva dovuto cedere alle pressioni di quelle stesse madri. Le madri avevano preteso che lei fosse espulsa; gli scriveva perché sapesse che lei immaginava esattamente come erano andate le cose. Erano state le madri degli alunni più scarsi. E, dopo tutto, che colpa aveva lei? Aveva trattato i suoi alunni come fossero dei piccoli soldati. Li aveva disciplinati, messi in fila, aveva insistito perché tenessero in ordine i loro quaderni. Pagine belle nitide, e i titoli ben centrati ed uniformi come palizzate. Li aveva costretti ad imparare gli elenchi di vocaboli. Avrebbero ricordato quei vocaboli per il resto della loro vita e *lei*, almeno, aveva la coscienza tranquilla.

La lettera della Fifferling rasserenò Brill; era soddisfatto che lei si fosse addossata la responsabilità. Tuttavia, era stata una stupidaggine licenziare una delle insegnanti più affidabili. Un incauto capriccio. Era stata una stupidaggine assumere Sheskin — Brill continuava ad assistere alle lezioni dell'ottava e, benché l'ora ineluttabile della rissa e del clamore non fosse ancora giunta, si avvertiva nell'aria qualcosa di pericolosamente estatico: trepidante e titubante. Era come se un pilastro formato dai polmoni dei ragazzi ammucchiati uno sull'altro sorreggesse il soffitto. Il giovane studente *jeshivah* dalla voce soave stava trasformando le Scritture in un romanzo. Tralasciava nomi geografici e grammatica, proprio ciò a cui Gorchak dava più importanza. Sussurrava le lezioni con una sorta di sacro ardore che ispirava turbamento: c'era qualcosa di abnorme, di malsano, in una tale devozione. Mancava di rigore. Non insegnava nulla di concreto. In realtà, non insegnava affatto. Era tutto un sognare e scarabocchiare. Le madri se ne sarebbero accorte, e sarebbe cominciata la sommossa.

Brill convocò nel proprio ufficio la nuova, altissima impiegata addetta all'accettazione e le spiegò come dovesse registrare lo stipendio del nuovo insegnante.

La sua frangetta intinta nell'inchiostro blu notte luccicò. «Il rabbino Sheskin? La sua è la classe più tranquilla, ho notato».

«Davvero?». Era seccato; non era di sua competenza notare cose non pertinenti alle sue scartoffie. Non aveva l'aria meticolosa;

c'era in lei qualcosa di florido ed esuberante. Per di più, aveva lasciato la porta aperta.

«Credo che li ipnotizzi!», aggiunse lei ridendo. «Forse li droga! Li rifornisce d'erba!».

Aveva il nome di un fiore. A volte gli pareva di ricordare che fosse Iris; a volte si convinceva invece che era Daisy. La osservava lavorare nell'ufficio d'accesso. Portava occhiali dalla montatura color porpora, spire di catene le circondavano il collo, e aveva due anelli per mano. Non era seria; aveva occhi scintillanti. Aveva iscritto suo figlio al primo anno.

Brill telefonò a Hester Lilt: «Ho compiuto un gesto piuttosto impulsivo. Due settimane fa. Suppongo che ormai ne sia venuta a conoscenza».

«No».

Ebbe la certezza, dalla raschiante sonorità della gola di lei, dalla ruggine che avvertiva sulle sue corde vocali, di aver interrotto qualche intricata riflessione. Ma questa volta non perse tempo a scusarsi. «Beulah non gliel'ha detto?».

«Detto cosa?».

«L'ottava è ora affidata a un giovane e simpatico insegnante. Li lascia disegnare in classe. Li lascia fare qualunque cosa».

Sembrò che lei cercasse di rimettersi insieme; focalizzò il punto. «Ma non era il signor Gorchak l'insegnante? Cosa è capitato al signor Gorchak?».

E così non sapeva proprio nulla.

«L'ho tolto di mezzo. L'ho sistemato da un'altra parte... Beulah non gliel'ha riferito?».

«Si è sbarazzato di Gorchak?».

«Sì, l'ho tolto di mezzo».

«Per il bene di Beulah?».

«Per quello di sua madre». La udì rilasciare lentamente il respiro. «Non si preoccupi, non credo che i più intelligenti possano imparare qualcosa dal nuovo insegnante», aggiunse; voleva essere una battuta.

«È stato un errore», dichiarò lei, risolutamente.

«Senza dubbio. Tempo la prossima settimana, finiranno col travolgerlo. È troppo docile, lo faranno a pezzi».

«L'errore è stato nei riguardi di Beulah».

«Ho creduto che un insegnante meno burbero, qualcuno più comprensivo...».

«Lei la squalifica».

«Sua figlia è diversa da lei. Cerchi di rendersene conto, infine. Si liberi dell'angoscia. Io conosco la sua pena», le disse.

«Pena», ripeté lei. Per un attimo credette che si trattasse di una delle sue ironiche eco. Ma era pungente, severa. «Lei non la conosce. Io non soffro alcuna pena. Non c'è alcuna angoscia». Avvertì l'espandersi di una pausa: stava preparandosi a balbettare. «Lei sarà... sarà...». Lui attese senza alcuna ansietà. Era il futuro che lei cercava di afferrare; il futuro la privava quasi della parola. Infine proferì: «Lei sarà originale».

Per la prima volta ebbe compassione di lei. Mormorò sterilmente: «Signora Lilt...».

«Che lei faccia qualcosa per Beulah oppure no, non ha alcuna importanza. E non ha alcuna importanza ciò che io faccio o non faccio. Nulla di tutto questo conta».

«La scuola conta», fu tutto ciò che riuscì a ribattere.

«Lei non è che il direttore di una scuola», proseguì lei in tono d'accusa. «Lei non è che un pedagogo. La sua scuola è abitata da vermi. I suoi insegnanti sono anguille. Vermi ed anguille. Non importa», concluse, «rimetta Gorchak al suo posto, se crede, lei non deve fare proprio nulla per Beulah».

«Soltanto ciò che credo opportuno. Lei ha avuto modo di accorgersi da sola come sono i ragazzi più dotati».

«Vermi», ribatté lei. «Anguille».

Ingrata: sentiva che avrebbe potuto rivoltarsi contro di lei. Ingrata, illusa! Era *proprio* come le altre: perversità della natura, che sprizzano fuori insieme al latte dai capezzoli. Ciascuna di loro era convinta che il proprio infante fosse un dio o una dea. Ma lei era ancora peggio delle peggiori. Le peggiori fra loro lottavano. Si battevano contro libri di testo, compiti, esami, insegnanti, pagelle, lo stesso Direttore Brill: la bramosia dei loro capezzoli le induceva ad aver fede nella possibilità di rammendare il futuro. Hester Lilt era ben lungi dal rammendare. Era convinta che un futuro senza toppe attendesse la sua piccola creatura minorata. Le altre si fermavano al presente; si aggrappavano al presente; erano decise a forzare, a rattoppare l'imperfetto presente. Avevano l'esuberante ferocia riformatrice delle sorelle di Cenerentola — avrebbero costretto la scarpina ad adattarsi al loro piede. L'avrebbero rimproverata, insultata, tormentata; avrebbero martoriato il loro piede perché vi entrasse. Hester Lilt disprezzava tali forzature. Era pronta a fare a meno della scarpina. Era malata di follia. Beulah l'aveva resa folle. La figlia difettosa, splendente, inghirlandata, scalza, avvolta nel velo della follia materna.

La settimana seguente Brill ricevette da Hester Lilt — dentro una grossa busta scura, con la dicitura A MANO, portata a scuola da Beulah e silenziosamente consegnata all'impiegata dalla frangetta blu notte — un nuovo saggio. Sospettò che si trattasse di una sorta di ripicca. Intendeva lusingarlo. E in quella lusinga si celava la ripicca, dato che, in fondo, non faceva altro che compiacersi della deferenza di lui — che sottolineare quanto lui fosse attratto dalla sua mente prodigiosa. In un certo qual modo, lui non era più tanto attratto. Col suo genio lei voleva punirlo.

Tirò fuori dalla busta i fogli dattiloscritti ed esaminò il titolo: *Sulla Struttura nel Silenzio*. Lesse:

> Il silenzio non è sconnesso, bensì formante. È come il vuoto che circonda l'ala, che la delinea...

Allora qualcosa avvenne in lui, una illuminazione, come se avesse afferrato un filo che conduceva ad una grande ragnatela umida di rugiada: frammenti di luce in una crepa tenebrosa. Se avesse tirato a sé anche un solo filamento, la ragnatela si sarebbe spezzata, e cadendo le gocce di luce si sarebbero raccolte in un'unica molecola splendente. Una pozza di conoscenza. Non proseguì la lettura. Ammucchiò di nuovo i fogli dentro la loro busta; non riusciva a distogliere lo sguardo dalla frangetta blu notte della nuova impiegata. Iris o Daisy. Aveva assunto lei e il rabbino Sheskin a un giorno di distanza l'uno dall'altra — lei aveva osservato che era una coincidenza significativa, che faceva di lei una sorta di gemella del giovane Sheskin, benché non avesse inteso riferirsi ad alcunché di spirituale. Caino non era Abele, e questa era tutta la cultura metafisica di lei. Lo trattava con impudenza; lui ne era costernato. Gli balenò l'idea che la cosa più giusta sarebbe stata licenziarla; ma non era che un capriccio. Un capriccio insensato dopo l'altro. Cacciare la Fifferling, retrocedere Gorchak, sostituire Gorchak, tutto questo intrecciarsi e sciogliersi dei suoi sforzi giaceva come un'offerta ai piedi di Hester Lilt — che la respingeva. Tuttavia lui aveva il potere di fare ciò che più gli piacesse, era l'uomo che dominava un'intera società, era un sovrano. «Daisy», gridò, per chiamarla dall'ufficio dove lei lavorava. «Venga qui. E chiuda la porta».

Lei chiuse la porta e si fermò di fronte a lui.

«Iris», precisò. Petulante. Non gli piaceva che lei lo correggesse. Come se un nome o un altro cambiassero qualcosa!

«Ricordi sempre di chiudersi la porta alle spalle. C'è troppo rumore là fuori».

«Niente di strano coi bambini». Un impercettibile accento di rimprovero, come una macchia su un acquarello. Impertinente!

«Ha sistemato lo stipendio del rabbino Sheskin?».

«Tutto sistemato. Tutto in ordine».

«Bene. E lei, il nuovo lavoro la soddisfa? Ha qualche domanda?».

Si lasciò sfuggire una risatina, rotonda come un bottone. «Ho un sacco di risposte. Se vuole, posso escogitare le domande a cui si riferiscono».

Non gli sfuggì che neppure una volta si era rivolta a lui chiamandolo Direttore Brill.

«E il suo ragazzino? Come se la cava? È stato fortunato a capitare nella classe della signora Jaffe. È la migliore insegnante di prima che abbiamo».

«Se è davvero così brava, non è pagata un granché».

Impudente! Sfrontata! Le disse: «La gestione della scuola non è di sua competenza».

«Ma se mi ha appena detto che *voleva* delle domande».

«Non di questo genere. Se vuole mantenere rapporti pacifici» — era incredibile che non l'avesse ancora licenziata e che il suo tono non fosse sferzante; vi udiva invece una nota cautamente diplomatica — «farebbe meglio a dimostrarsi un po' più amabile».

«Amabile!», sbottò lei. «È una virtù d'altri tempi. Per gente della sua età, non della mia».

Sapeva cosa stava accadendo — cosa era ormai accaduto. Sotto la frangia intinta nell'inchiostro non c'era un tratto che non sembrasse accuratamente lucidato. Persino la liscia rotondità della punta del suo naso aveva il suo puntino lucente. Gli occhi erano di un marrone ordinario, ma con la quieta incandescenza di certe antiche lampade brunite. I peli color noce delle sopracciglia erano lustrati ad uno ad uno. I denti erano smaglianti ma sghembi, e questa leggera deformità trasformò in curiosità quella che era ancora una distaccata ispezione. Tre quarti degli alunni della sua scuola erano inchiavardati, rinforzati, sostenuti; anelli e otturazioni argentee, ponti scintillanti, placche e capsule appesantivano e ingombravano i denti di tutti quei bambini americani eppure, nella nuova impiegata poté scorgere, con un senso quasi di trionfo, l'apparizione di un singolo caparbio incisivo più in fuori degli altri, e dotato di una lucentezza pari alla sua prominenza. La luce del lampadario al di sopra della sua scrivania andava a colpire quel dente sporgente, e riverberava verso di lui indecifrabili, ammiccanti semafori. Capì che lei poteva aggredire e schernire, che era impertinente, sfrontata — pungente e tagliente — insubordinata e impudente. Quando si volse per andarsene, lui vide la crocchia di catrame lucente sulla nuca, il collo esile, così candido ed eretto.

«Il suo bambino», la trattenne Brill.

«Albert».

«Albert», ripeté lui. Era sconvolto. Un impercettibile tremore — un tic, in realtà — cominciò ad agitargli l'angolo sinistro del labbro superiore. Si sforzò di controllarlo, ma il labbro continuò a tremare, come il vibrato di qualche alieno strumento. Sapeva cosa stava accadendo. «D'accordo», mormorò. «L'amabilità è una virtù per gente anziana, come me. Lei ha tutte le risposte».

Riapparve la rotonda risatina. «Non tutte. Soltanto molte».

«Soltanto molte, allora. E Albert, lui ha tutte le risposte?».

Lo sguardo di lei si fece più severo. «Lei è in grado di capire fin dal primo anno come sarà un bambino in futuro?».

Un lampo di Beulah. «Generalmente sì», rispose.

«Allora la vedo brutta per Albert. È finita, per Albert!». Ridacchiò. La risata di una donna molto alta è diversa da quella delle altre donne. «Per inciso, dato che lei parla di amabilità», riprese, «sappia che io non faccio caso all'età degli uomini. Il mio ex marito aveva più di cinquant'anni quando l'ho sposato. Dopo un po' di tempo, ho cominciato a metterlo in imbarazzo».

Imbarazzato anch'egli, Brill non poté resistere: «Perché?».
«La gente pensava che fosse mio padre».
Questo lo dilaniò. L'incanto infantile di quel dente sporgente e scintillante. Si sentiva sbranato fino all'osso. Sapeva cosa era ormai accaduto. Ciò che era accaduto non aveva nome. Non avrebbe accettato promiscuità col nome che non aveva. Si sentiva preso nel più terribile dei modi. Il collo esile, così candido ed eretto.
«Le importava», domandò, «quando gli altri lo prendevano per suo padre?».
«A *lui* importava».
Si sentì sollevato. «Si chiuda la porta alle spalle», le disse; a lui non sarebbe importato.
Si avvicinò al suo schedario e ne estrasse il rapporto della dottoressa Glypost:

ALBERT CHARLES GARSON
ETÀ SEI ANNI E TRE MESI

Un simpatico ragazzino bruno, dagli occhi luminosi e un grande fascino spontaneo, che non ha mai esitato durante il test di Rorschach. Le sue risposte sono state ordinarie, ma generalmente tendenti ad un sano ottimismo. È sveglio, spiritoso, pronto ed impavido in ogni occasione, anche se non sempre scrupoloso. Usa la destra, è più orale che verbale. La sua intelligenza è nella media, ma appare più brillante a causa della generale vivacità di carattere...

C'era molto altro ancora. La dottoressa Glypost era rimasta incantata da Albert. Il Direttore Brill lo dedusse dal fatto che aveva annotato la frequenza dei sorrisi del ragazzino. Albert aveva sorriso spesso durante l'esame — e ciò significava che la dottoressa Glypost gli aveva sorriso altrettanto spesso. Con la povera Beulah — ma questo risaliva ormai a otto anni prima! — la dottoressa Glypost non aveva sorriso affatto. Albert Charles Garson era un caso facile, anzi non era affatto un «caso»: era normale. Proprio come la madre, in verità. La madre si era riprodotta. La nuova impiegata spilungona e suo figlio erano entrambi sanamente ottimisti. Erano normali. Brill analizzò il fatto: si era infatuato della normalità. Infine, desiderava essere finalmente normale. Non dissentire. Essere normale! L'ex marito di Iris Garson aveva sentito di non essere normale, sposato ad una donna di trent'anni più giovane; così l'aveva allontanata da sé. Lei invece — c'era stato un tempo in cui non si era sottratta al matrimonio con un uomo molto più anziano e ora, ora aspirava alla normalità, al sano ottimismo!

Cominciò a corteggiarla — apertamente, sfacciatamente, proprio là nell'ufficio d'ingresso, di fronte alle segretarie, sotto il naso degli insegnanti che entravano ed uscivano. Lei non ci mise molto a capire quali fossero le sue intenzioni. E nel momento in cui lui capì che lei aveva capito, cominciò a preoccuparsi. Aveva paura che lo giudicasse grottesco; il suo ex marito non si era dimostrato grottesco, ma soltanto normale, nel voler annullare un legame che tanto poco si accordava con le leggi della convenienza; la convenienza è un paraninfo che accoppia rosea gioventù con rosea gioventù. Gli appariva ogni giorno più rosea e splendente. La lucentezza della sua morbida chioma lo induceva a lucidarsi le scarpe alla perfezione. Ad ogni occasione, le dava l'opportunità di mostrargli la propria impudenza. Gli piaceva quando si inalberava e lo rimbeccava. Cercò di immaginare come le sue sorelle avrebbero giudicato un tale spirito, tanto affine al loro — al di là del fatto che si trovassero oltre l'oceano, a invecchiare in una antica città. Iris Garson era impudente, giovane e sfrontata; ma era anche coraggiosa. Tanto coraggiosa da invitarlo nel proprio appartamentino, l'attico di un edificio restaurato piuttosto distante dalla scuola. Ne era proprietaria una numerosa e rumorosa famiglia greca che abitava sotto di lei, occupando il primo e il secondo piano e anche il seminterrato. Lo fece sedere in cucina e gli preparò una semplice cenetta a base di pesce, servita in graziosi piatti di porcellana a fiori. Era domenica pomeriggio, e l'allegro rumoreggiare dei greci al piano inferiore faceva traballare il tavolo. Il figlio di lei non era in casa; era andato a giocare a palla con un compagno di classe. «Credo proprio che dovrà portare Albert via di qui, fra non molto», disse Brill. «E perché mai?», domandò lei, fermandosi con la forchetta a mezz'aria. «Quando sarà un po' più grande. A causa del chiasso che c'è qua. Di questi scalmanati. Non potrà rendere al meglio, se non avrà un luogo tranquillo dove studiare». «I Papageorgiou hanno sei figli», replicò lei, «e la ragazza più grande ne ha altri due, e vivono tutti assieme. Lei è proprio uno scapolo fatto e finito! È più scapolo che direttore. I bambini devono essere rumorosi. È la vita. Lei non sa proprio nulla dei bambini», concluse; nessuno, neppure la signora Dorothea Luchs aveva mai osato dirgli una cosa del genere, benché l'avesse letta più di una volta nell'espressione delle madri. «Credo proprio di essere più esperta di lei, non importa quanto lei sappia di pedagogia, anche se non saprei dire *stelle* in latino». «Ecco», disse Brill, «lei è proprio questo». «Proprio cosa?». «Qualcosa di luminoso. Risplendente», le spiegò. «Allora sarà meglio che vada ad incipriarmi il naso». «Il suo naso risplende *sempre*. Per questo mi piace». «Al mio ex marito non piaceva. Diceva che ho una carnagione da ragazzina». Mentre lei lavava i piatti, lui si mise accanto all'acquaio per riceverli premurosamente a uno a uno ed asciugarli con una salvietta decorata da violette azzurre. La cucina quasi oscillava, vibrava, come travolta da una scorribanda barbarica: uno dei ragazzi Papageorgiou si era messo a suonare qualche strumento dal suono artificiale, dotato di un'amplificazione elettronica degna di Brobdingnac. In mezzo a quel frastuono assordante, Brill, una tazzina azzurra fra le mani, si sentiva sereno come non era da molto tempo, dai giorni in cui usava sprofondare il capo nei sublimi trattati del Talmud; allora, era felice quando il rabbino Pult lo lodava. Ma appena Claude lo chiamò Dreyfus, cessò di essere felice all'università. Non era mai stato felice in compagnia dei telescopi o negli anni di misconosciuto insegnamento a Milwaukee. (Ed in mezzo, la cantina, il fienile). Le sorelle gli dicevano sempre che era incapace di essere felice perché era incapace di decidere. Eppure, quando aveva deciso di lasciare l'osservatorio di Parigi per andarsene in America, quanto avevano brontolato! Mentre lui reggeva la tazzina azzurra, quelle onde di clamore si infrangevano, si ritiravano, e poi ancora riottosamente si infrangevano; si sentiva perfettamente felice. «È assolutamente necessario che lei porti via Albert di qui», ripeté; «non riuscirà mai a studiare». «Albert non è molto portato per lo studio. Quello che veramente gli piace è il *baseball*. Per questo è andato da Stevie, per allenarsi». Rifletté; e questo le appannò lo sguardo. Non era abituato a vedere quegli occhi privi della loro usuale lucentezza. «E dove potremmo andare?», domandò lei infine. «Venga a stare con me», le rispose.

Ne discussero fra loro, e finirono per accordarsi. Lei lo chiamò

Joseph per la prima volta; mai, neppure una volta, l'aveva chiamato Direttore Brill. Mentre se ne andava, la voce di lei lo inseguì per le scale: «Sei così presuntuoso! Sei proprio convinto di essere qualcuno!» — e questo perché aveva parlato di Albert in quel modo. E poi, proprio mentre attraversava il frastuono dei Papageorgiou: «Non ti importerà che Albert non sia portato per lo studio?». Non le rispose. Non l'avrebbe sentito comunque.

Passarono diversi giorni, e una mattina Brill fermò la signora Jaffe sulla porta della sua aula. «Come se la cava Albert Garson?».

La signora Jaffe era una donna onesta. Insegnava Storia Biblica, come Gorchak; ma non parlava mai di lavoro. «Gli altri bambini l'hanno simpatico. Fa amicizia. Un po' più di immaginazione non guasterebbe».

Normale. È normale non avere troppa immaginazione. Tuttavia, avrebbe desiderato che la signora Jaffe si preoccupasse di più del vero lavoro, come Gorchak. C'erano troppi poster nella sua aula. Mise dentro la testa, alla ricerca di Albert. Era difficile individuarlo — i ragazzini, con le loro camicie a scacchi e i calzoncini dai colori sobri, sembravano tutti uguali. Le bambine apparivano più caratterizzate. Quando infine individuò il figlio di Iris, si compiacque del suo aspetto grazioso: un collo armonioso, esile e fermo come quello di sua madre, e un sorriso veloce. Lo sconcertò che quel sorriso fosse tanto veloce, tanto ricorrente, tanto perpetuo. A volte è opportuno evitare di sorridere. Come al solito, le mani della signora Jaffe erano bianche di cartapesta. Si era guadagnata una celebrità in miniatura grazie ai gomiti e ai piedi, che contorceva di qua e di là al fine di esemplificare il profilo delle lettere dell'alfabeto ebraico. Pensò ai solidi elenchi di vocaboli della Fifferling: solidi e concreti come mattoni. Che perdita, che stupido era stato a ripudiare la Fifferling, come Hagar, per amore della figlia di Hester Lilt!

Telefonò a Hester Lilt. La famigliare raucedine, la pungente ironia, il gracchiare del nero uccello dell'oscura Europa — ora suonava estraneo, bizzarro, al suo orecchio; il suo orecchio abbondava di gaiezza e impudenza. Iris ridacchiava spesso; era oggetto di scandalo fra le segretarie. Le aveva fatto promettere di non dire nulla a nessuno; non era autorizzata a chiamarlo Joseph dove qualcuno poteva sentirla. Quanto prima sarebbe diventato anch'egli oggetto di scandalo. Lo scandalo attendeva solamente che le madri lo fiutassero. Gli pareva anzi che una o due sospettassero già, e si scambiassero fra di loro ironici sguardi romantici.

Aveva già pianificato lo svolgersi di quella conversazione. Avrebbe avuto uno scopo deliberato — aveva le proprie novità da raccontare. «Signora Lilt», cominciò nel suo tono più cerimonioso, «è stata molto gentile a inviarmi quel dattiloscritto per mano di Beulah» — e subito si detestò per quella pomposità. Affettato, presuntuoso!

Non venne alcuna reazione, o forse un'impercettibile perplessità; infine proruppe in un'imprevedibile, misurata esclamazione. «Sì! Quei fogli! Me n'ero dimenticata, è stato secoli fa, che Beulah li ha portati a scuola...». Si interruppe. «Li ha trovati difficili?».

«Lei stima molto poco le mie capacità», replicò Brill con lo stesso tono lezioso, greve, affettato, «se mi fa una domanda del genere». Ah, presuntuoso! Era proprio convinto di essere qualcuno! «La verità è» — aveva già la sensazione di essere in balìa di lei, come se lo stesse obbligando a confessare qualcosa contro la propria volontà — «che non sono ancora giunto al nocciolo».

«Intende dire che non l'ha letto».

«*Nihil est veritatis luce dulcius*», declamò. «Non ancora».

«Lei non vuole e non può».

C'era una contusione nella voce di lei che non aveva mai udito prima. Era contusa e contundente. Percepì una nuova bellicosità. Il giorno del compleanno aveva smarrito sé stessa, era tutta in frantumi. Era diversa, ora. Si era indurita. Brill non se lo era aspettato; era un ostacolo. Aveva fretta di giungere alle sue novità. «Lo leggerò», le disse in tono conciliante. «Leggo sempre le sue cose».

«E poi si profonde in elogi. *Absolvo te.* Quando legge qualcosa di mio, qualunque cosa sia, poi mi sommerge di elogi. Io non voglio essere elogiata».

Lo stava obbligando a deviare dalle proprie intenzioni. «Non l'ho chiamata per elogiarla», protestò.

«Allora per insultarmi. Vuole parlarmi di Beulah».

Come era brutale! E come lo faceva apparire brutale! «No», replicò, «non di Beulah». Ma anche questo gli sembrò un errore;

cercò di riparare. «È più felice ora? Beulah, intendo? Il rabbino Sheskin loda sempre i suoi disegni».

«E il signor Gorchak è più felice ora? Dovunque l'abbiate sistemato?»

«È impossibile parlare con lei».

«Prima è impossibile leggermi, ora è impossibile parlare con me! Cosa vuole farci, sono così inaccessibile...».

«Mi sta trattando duramente», osservò lui.

«È vero».

«Mi ha inviato quelle carte per mano di Beulah soltanto per questo, per darmi una lezione».

«Oh, certo».

Si sentiva valutato, soppesato. E lui che desiderava soltanto raccontarle le novità! Le domandò, in tono tanto umile che ora nessuno l'avrebbe potuto giudicare presuntuoso: «Perché è tanto dura con me?».

«Lei non progredisce. È incollato al suo posto. È il genere di uomo che si ferma troppo presto. Lei desume il futuro dal presente. Tutti i despoti lo fanno. Lei è bloccato».

Ascoltò questa sequela con la massima attenzione. «Proprio per questo», le disse, «ho intenzione di sposarmi». Attese. Non udì nulla. «Non può dire che sono bloccato. Maggio si accoppia con dicembre, questo non è essere bloccati». Attese ancora. «Dopo tutti questi anni», disse infine con convinzione, «sto per diventare ordinario».

«Lei non è mai stato straordinario».

L'aveva tagliato, ma lui non sanguinò. «Non certo come lei, no». Intendeva dire che era fuori dell'ordinario a modo proprio, nel modo di un uomo che ha avuto una vita segreta. Non gli importava che lei l'avesse chiamato despota. «Lei pensa che io sia pazzo a desiderare una moglie. Alla mia età».

«È una moglie che vuole?».

«Cosa altro potrei volere?».

«Un figlio».

«Oh, certo», ammise, «certo. Lei è abbastanza giovane per darmi un figlio. Maggio si accoppia con dicembre, gliel'ho detto. Ha già un figlio. È già stata sposata una volta, ma non mi importa. Il bambino è iscritto alla prima, un simpatico e grazioso ragazzino».

«E *lei*, è molto graziosa?».

«Oh, sì, molto graziosa. Una donnina semplice ed amabile. Non ha timore di nulla».

«Intende dire che non la blandisce».

Ora lui rideva liberamente. «È addirittura intrepida!». Tutt'a un tratto, si domandò se Hester Lilt non fosse per caso gelosa. Si domandò se non le avesse telefonato proprio per questo — per scoprire se si sarebbe ingelosita. Una donna sola con un figlio. Si trovava esattamente nella stessa posizione della nuova impiegata. La cornetta era umida del sudore della sua mano. Avrebbe dovuto farle visita, invece di telefonarle. Se l'avesse avuta di fronte, i suoi candidi capelli disordinati l'avrebbero rassicurato: era oltre vent'anni più vecchia di Iris. «Ha un bel cervellino sveglio», riprese, «del genere più comune. Non è una profonda pensatrice — proprio quello che fa per me. Il figlio si chiama Albert. Albert Charles Garson. Immagino che potrei adottarlo. Il suo nome suonerebbe come quello di un principotto Hohenzollern, non crede? Albert Charles Garson Brill!».

«La piccola donna semplice ha un piccolo figlio semplice», osservò Hester Lilt.

«Non è mio figlio, non sarà mai mio figlio», si lasciò sfuggire Brill. «Ma se *noi* dovessimo avere un figlio...» — si sentiva imbarazzato; era abituato ad usare il «noi» ufficiale, non questo, così nudo; era confuso; quel «noi», che correva lungo il filo verso Hester Lilt, lo turbava.

«Se la piccola donna semplice con un piccolo figlio semplice dovesse mettere al mondo un altro piccolo figlio, questo sarebbe *suo*». Stava affondando la sua lama. «È *questo* che la rode. Teme di poter diventare padre di un bambino ordinario».

Lui rimase in silenzio.

«Non potrebbe mai accettarlo, non è vero? So quanto lei sia attratto dalle altezze. *Ad astra*. Le vette o niente».

«Ne ho avuto abbastanza di niente», le disse. «Ho avuto anni di niente. Un intero lungo periodo. Una vita».

«Allora non resta altro da dire», concluse lei con la solita tremenda chiarezza.

Ora poteva cominciare a sanguinare. Le incespicò dietro: «Lei può accettarlo».

«Accettare cosa?».

«Beulah». La gola lo tradì. Ne venne fuori un grido rauco. «Mi spieghi come può accettarlo».

«Non mi importuni con queste ciance! Sapevo fin dall'inizio che avrebbe finito per parlare di Beulah! Era Beulah il suo scopo! Vuole che le racconti come posso sopportarlo, lei crede che mia figlia sia una pena per me!».

«È una pena», mormorò, «non essere come lei è».

«Oh, com'è tenero! Con questo genere di sentimenti, lei dovrebbe chiedere la *mia* mano».

La udì esitare il tempo necessario perché lui riprendesse a respirare. «In certi momenti», ammise, «sono quasi arrivato a pensarlo. Ma mi sono frenato». Non avrebbe saputo dire se stesse mentendo — era vero? Era mai arrivato a pensarlo? «È stato proprio ciò che lei è a frenarmi. Lei è troppo elevata. Lei è troppo intelligente. Lei è troppo acuta».

«Io sono troppo vecchia».

Lentamente, sussurrò nella cornetta: «Io voglio un figlio mio. Voglio qualcuno che reciti il *kaddish* per me, quando sarò morto... Voglio essere normale».

«Allora si sposi».

Sapeva che era la solita pungente ironia. Ma replicò ugualmente. «È questo che voglio».

«Non è una moglie che vuole. Non è un figlio che vuole. Lei vuole soltanto sé stesso», ribatté lei. «Perpetuare sé stesso. Redimere sé stesso. Lei è irrimediabilmente egocentrico. Lei ha scrutato nel sepolcro. E vuole l'immortalità».

Era tornata la pace fra di loro. Lei non poteva capire quanto lui fosse nauseato dall'immortalità. Era ormai sazio di perpetuità. Lei era ottusa riguardo all'immortalità, era ottusa riguardo alla propria figlia. Lasciò passare un minuto. Recuperò l'uso della gola. Le disse con tutta la sua voce — non energica, né troppo alta, sempre molto tranquilla, ma finalmente integra: «Lei non ha mai accettato la realtà riguardo a Beulah. Lei non ha mai capito niente di Beulah e di sé stessa. Se mai avesse capito, saprebbe di cosa ho paura. Perché io ho paura, io sono un codardo...».

«Lei è proprio un codardo», lo interruppe lei. «Vuole saper tutto in anticipo, ogni alterazione, ogni eventualità, non ho ragione forse? Lei vuole sapere come andranno a finire le cose. Vuole sapere come disporre del destino, soltanto perché un tempo il destino ha disposto di lei. Per aver trovato la salvezza in quel convento, è convinto di essersi ormai guadagnato la salvezza eterna. Niente più infamia, dopo quell'esperienza. La fine della vergogna. Niente più dolore. Lei vuole sapere come manipolare» — si lasciò andare ad una di quelle sue risate, talmente colma di disprezzo che egli poté percepire quanto profondamente fosse differente dal brioso gorgoglìo di Iris — «l'angoscia. Angoscia, così la chiama! E non le interessa l'angoscia che tormenta i cimiteri del mondo! È l'angoscia per il fallimento scolastico che non può sopportare! Che non può digerire! Non riesce a mandarla giù. Il Direttore Brill non può trovarsi nella posizione di dover bocciare il frutto stesso dei propri lombi! Mi dica — ho ragione? Ho ragione? Risponda!». Stava ansimando; Brill poteva udirlo con chiarezza. «È *lei* che non ha mai capito niente di Beulah! Mai! Si è limitato a darla per persa, gliel'ho già detto. Come un codardo! Lei e quei pappagalli dei suoi insegnanti, i suoi lacchè, i suoi vermi e anguille! Gorchak e la Seelenhohl, quegli ignoranti!».

Ora malediceva il telefono che si interponeva fra di loro. Si domandava come sarebbe stato vedere il suo volto in preda alla passione — il suo volto erudito, dai piccoli occhi e quella minuscola luminosa verruca, il mento appesantito e innocente; avrebbe voluto combattere con lei.

«Lei mi considera uno sciocco, ma voglio dimostrarle quanto posso essere acuto», le disse. «Ho i miei limiti, ma posso essere molto acuto».

«Lei non può non essere acuto. Legge ciò che scrivo».

«Leggo ciò che scrive! Esatto! È proprio questo il punto, leggo ciò che scrive! Quell'ultimo saggio che Beulah mi ha portato, come si intitolava... Struttura... Silenzio...».

«Ma è proprio quello che non ha letto», osservò lei, pungente.

«Apatica! Silenziosa! Così si è presentata! Come una sordomuta! È sempre così! Capisce cosa voglio dire? Sua figlia che porta questo... questo Silenzio, e come una sordomuta lo porge a Iris, senza nemmeno aprire bocca — allora ho scoperto la verità su di lei. Proprio in quel momento. Tutto a un tratto. Ho scoperto la verità. Ho penetrato il segreto della sua mente...».

«Iris?», lo interruppe. «È lei la fortunata?».

«La mia fidanzata. Impiegata nel mio ufficio, semplice e ordinaria. La mia sposa», ammise, offrendole queste parole come un sacrificio: lei le avrebbe saccheggiate, ridicolizzate.

«La sposa del Direttore Brill», mormorò con quella sua nuova rabbia mordace. «Il mistero della *mia* mente? Perché non mi svela il mistero della mente della sua sposa? Oppure in lei non c'è mistero perché non c'è ...».

«Signora Lilt!», gridò. «Il fatto è che sono riuscito a decifrarla! Decodificarla! Ora so da dove ha origine! Logica immaginistico-linguistica, quell'espressione tanto enfatica!». Si stava rendendo invulnerabile al suo potere. Stava diventando temerario. «Tutto ciò che lei dice o crea o pensa o scrive», insisté, «ha origine in Beulah. Dalla mia bocca lei ode la pura verità. Ha tutto origine in Beulah».

«Lasci stare Beulah!», strillò lei.

«Tutta la sua metafisica. Tutta la sua filosofia. Tutte le sue convinzioni. Viene tutto da Beulah. Lei la giustifica», proseguì. «Plasma attorno a lei. Modifica la realtà perché si adatti a ciò che Beulah è. Le innalza attorno un recinto di idee. Ho penetrato il suo mistero! Se Beulah non apre mai bocca, allora lei analizza il silenzio, il silenzio diventa la porta che si apre sulla sua meravigliosa interpretazione, è così che funziona! Se Beulah non sa fare le moltiplicazioni, allora lei inventa la metafora di un mondo senza numeri. Dio mio! Metafora! Idea! Teoria! Lei non possiede alcuna metafora o idea o teoria. Tutto ciò che possiede è Beulah. Ogni suo pensiero — li esamini, li guardi dritti in faccia, e non vedrà che l'opposto di Beulah. Dovunque ci sia in lei una cavità — una deficienza, una depressione, un'ammaccatura, una carenza — lei fabbrica una protuberanza. Inventa qualcosa per tappare il buco, per giustificarlo. Lei trova per tutto una compensazione. Lei rammenda l'universo. Lei non ha alcuna idea. Ha soltanto Beulah».

Come suonava cupa la sua voce dentro il telefono! Ma proseguì ugualmente. «E ora», le disse — che trionfo — «*ora* mi sono fermato troppo presto? Non sono forse andato fino in fondo?». Sembrava che, al riparo nel tunnel del loro piccolo idolo nero, lei stesse meditando e meditando. Che soddisfazione, che grazia sarebbe stata poterla contemplare adesso, poterla contemplare all'infinito.

«E non mi venga a raccontare che anche stavolta non sono andato abbastanza lontano!», esclamò. «L'estrema conseguenza non è poi troppo lontana — non è questo uno dei principi fondamentali di Hester Lilt? Portare ogni concetto alla sua svolta definitiva? Non lasciare fuori nulla? Non soccombere al prematuro! Mai fermarsi troppo presto! E questo è il motivo per il quale è riuscita a sopportarla — la delusione. Perché ne ha fatto uso. Senza Beulah a mostrarle la strada, lei non avrebbe avuto un argomento da trattare! Una tesi! Senza Beulah, da dove avrebbe ricavato le sue idee sulla pedagogia? Sul silenzio? Sul vuoto? Sarebbe stata come una pentola vuota! Non avrebbe avuto più gloria di qualche oscura maestrina che cercasse di inculcare un po' di geografia senza l'aiuto di una mappa! Lei ha *bisogno* di Beulah! Ha bisogno che Beulah sia una nullità, per poter essere qualcosa. Beulah è il Primo Capitolo della Genesi, Versetto Secondo — *tohu vavohu*, vuoto e privo di forma, le tenebre che sovrastano l'abisso, dal quale lei può irradiare la propria Creazione! — Ricorda quella battuta, quando definì sé stessa *chaos ex machina*? Non era una battuta. Lei mi ha chiamato despota! Ma consideri come lei usa, sbrana, divora la sua stessa figlia!».

Solo allora si accorse che lei aveva riattaccato già da un po'. L'aria dentro la cornetta pesava vuota nella sua mano. Il vuoto. E da quel momento la vita del Direttore Brill prese a scorrere rapida, rapidissima. Era meravigliato da quanto rapidamente potesse scorrere, adesso. Ogni cosa divenne un progetto. Si sbarazzò delle scarpette da ginnastica. Non aveva più il tempo di correre al mattino; non aveva proprio tempo. La nuova impiegata esaminò le sue oscure stanzette; non le piacquero, e questo rallegrò Brill e lo fece sperare. «È vero, non sono abitabili», ammise; «ci troveremo un posto più decente», e cominciò ad enumerare i sobborghi dei dintorni, con i loro vantaggi e inconvenienti, congetturando su quale fosse il più adatto. «Credevo avessi detto che il contratto ti obbliga ad abitare qui», osservò Iris. «Farò in modo che sia cambiato. Dopo tutto», aggiunse, «quelle clausole furono stabilite molto tempo fa, e ora le circostanze sono mutate». «Oh, non saprei», rifletté lei. «Vedrò cosa si può fare. Potrebbe migliorare molto, eliminando tutte queste finestrine. Sarebbe una cosa originale, non credi? — darebbe l'idea di vivere in un fienile». Non le aveva mai raccontato di quell'altro fienile; sapeva che aveva dovuto nascondersi durante la guerra, ma era giovane, e quegli eventi le apparivano remoti quanto Attila l'Unno. Non aveva alcun interesse per i suoi racconti di antiche miserie. Le monache, in particolare (aveva cominciato a raccontarle del convento) la annoiavano. «Libri!», aveva esclamato. «Il mondo intero era sotto i bombardamenti o peggio, e tu te ne stavi là, circondato da cataste e cataste di libri! A leggere!». Questa osservazione l'aveva fatto arrossire; era vero, in realtà lui non aveva mai veramente sofferto. Fleg sottoterra, come poteva quella essere una persecuzione? Quello che lui aveva sopportato era un miracolo, un idillio. Anche il periodo passato nel fienile dei contadini era stato fortunato; più fortunato per lui che per la grande maggioranza dei suoi simili. Si rendeva conto di quanto lei avesse ragione: le loro vite erano votate all'incontaminato presente, perché allora portare alla luce antiche suppurazioni? Lei aborriva quando Brill scivolava nel francese: eppure la sua lingua madre gli forniva così tanti modi di esprimere la sua adorazione, come poteva resistere? «Mi fa rabbrividire, vorrei che la smettessi», lo rimbrottava; «quando parli in quel modo, arricciando il naso, sembra che tu stia parlando con qualcun altro; qualcuno che conoscevi molto tempo fa; qualcuno che fa ormai parte della storia. Io *non* faccio parte della storia!», strillava. Ed aveva ragione. Lo accompagnò alla riunione del Consiglio d'Amministrazione e prese la parola di propria iniziativa, con talmente tanto fascino e audacia da vincere ogni resistenza in meno di cinque minuti: li convinse ad acquistare più legname di quanto ne fosse occorso per i precedenti lavori di restauro, quando l'anziana benefattrice aveva cercato di risparmiare (sostenne lei) su questo e su quello; e inoltre, era ormai necessario un riammodernamento. Poi si occupò dei lavori di restauro con un entusiasmo tale da provocare l'allegria di Brill: che vitalità possedeva! Le piccole finestre furono rimosse e sostituite con altre enormi, allo scopo di accrescere la luminosità degli ambienti. Le pareti furono abbattute — tutto a un tratto la sua conigliera, i suoi cunicoli, si trasformarono in spaziose gallerie. Restò esterrefatto di fronte a due immense stanze da bagno e una cucina risplendente. I soffitti e i pavimenti dimostravano un'elasticità che non aveva mai sospettato.

Dormiva in mezzo a trucioli, frammenti di legno, polverosi resti di intonaco, ma in realtà non dormiva molto; c'era così poco tempo, talmente tante cose da acquistare. Un tavolo nuovo, uno scrittoio, molte nuove sedie, un letto nuovo.

E lo chiamavano ancora il fienile.

Iris era preoccupata per Albert. Non stava andando molto bene in quel primo anno di scuola. Se la prendeva troppo comoda, pensava solo a divertirsi. Si domandava se non fosse il caso di iscriverlo a una scuola diversa, una più semplice, meno esigente e competitiva, senza il Doppio Programma — ma come potevano, cosa avrebbe pensato la gente se il futuro figliastro del Direttore Brill avesse lasciato la scuola? Brill si offrì di adottare Albert. Lei era indecisa. Sentiva che a lui non sarebbe piaciuto dare il proprio nome a un ragazzino che non era abbastanza intelligente nemmeno per le sciocchezze che si insegnano in prima. Si palleggiarono la questione fra di loro, ma erano sempre molto occupati, non c'era il tempo di riflettere seriamente, con tutte quelle cose da fare. Decisero di annunciare il loro fidanzamento in maggio, poco prima della Cerimonia annuale; ma il trambusto nel fienile aveva già provveduto a divulgare la cosa, le notizie già circolavano, le madri già spettegolavano e scimmiottavano sguardi amorosi, i medici già vi scherzavano sopra con gesti volgari e battute oscene, e già cominciavano ad arrivare i primi regali di nozze.

In aprile Brill comunicò ad Iris che si era consultato con la dottoressa Glypost. Albert aveva quasi sette anni. Era ormai troppo cresciuto per adeguarsi a un cambiamento d'identità — avrebbe influenzato l'intera sua visione del futuro. Avrebbe danneggiato la sua libido. Doveva mantenere il proprio nome, e non diventare Albert Charles Garson Brill, principotto Hohenzollern. «Chi? Che cosa?», domandò Iris; non aveva capito. «La dottoressa Glypost crede che dovrebbe essere lasciato tranquillo, che non dovrebbe essere adottato». «Oh», mormorò Iris. La lucentezza svanì dal suo sguardo. «Perché hai pronunciato quella parola dall'aria tedesca? Non è il nome di un compositore? Suonavo spesso la sinfonia *Surprise*, sul pianoforte — l'ha scritta un compositore tedesco, credi che Albert possa avere attitudine per la musica?». Ora sorvegliava Albert incessantemente; sorvegliava le sue attitudini. Stava china su di lui mentre faceva i compiti e non gli permetteva di uscire per giocare a palla. Urlava ai Papageorgiou per dir loro di non urlare — Albert doveva studiare. Il ragazzo con la chitarra elettrica le disse qualcosa di sgradevole, e da quel momento lei non rivolse più la parola a nessuno dei Papageorgiou. Ammonì Albert di tenersi alla larga da loro, e non le importava quanto lui amasse giocare con il bambino più piccolo della figlia maggiore. Voleva che Brill spronasse i falegnami a sbrigarsi, così che lei ed Albert potessero finalmente liberarsi dei Papageorgiou; non si riusciva nemmeno ad ascoltare i propri pensieri, in quella casa. Albert era confuso; la signora Jaffe lo rimproverava perché continuava a scordarsi la lezione del giorno prima; mangiava troppi dolci, e stava ingrassando.

In tre decenni, aveva piovuto soltanto quattro volte il giorno della Cerimonia Inaugurale. E anche quell'anno la perenne fortuna dei diplomandi perdurò. Era un pomeriggio stupendo — i prati tagliati di fresco, d'un verde luminoso, i grilli che stridevano forte. Il Flegetonte gorgogliava nero e rosso. In un profondo avvallamento sassoso, dove la falciatrice non poteva arrivare senza danneggiare le lame, le centinaia di bocche di leone sopravvissute fiammeggiavano gialle come il burro. Il breve pendio che dominava il Flegetonte formava una tribuna naturale; il Direttore Brill era lassù, assiso su una sedia pieghevole e fiancheggiato da Gorchak e dalla Seelenhohl, mentre il giovane rabbino Sheskin picchiettava con un dito sul microfono posto sopra il leggìo; vi soffiò dentro tanto rumorosamente che tutti i convenuti, sparsi per il prato, si voltarono a guardare. Poi la Seelenhohl discese il pendio fino alla sponda del lago, per organizzare il corteo: prima il Picchetto d'Onore con la bandiera, reclutato fra i ragazzi del settimo anno, poi le ragazze dell'ottava in fila per due, seguite dai ragazzi dell'ottava, sempre in fila per due. Il coro — formato dall'intera quinta classe — stava esercitando le nervose ugole all'ombra delle grondaie della fabbrica di sedie. Brill li udì intonare: *Eliyahu hanavi, Eliyahu ha-tishbi, Eliyahu, Eliyahu, Eliyahu ha-giladi*; e poi: *The Minstrel bo-o-oy to the wars is gone*; e ancora: *Chevaliers de la Table Ronde, goûtons voir si le vin est bon, goûtons voir, oui oui oui!* Elia di Tisbe, i Cavalieri della Tavola Rotonda, i bardi del Vecchio Mondo... ah, come tutto questo lo faceva sprofondare nel lato poetico della vita, in quel brusìo di piccole voci bianche. Stava ormai calando il crepuscolo, e i padri avevano cominciato a far lampeggiare i *flash* delle loro macchine fotografiche, simili a lucciole. Gli invitati si andavano accomodando su file e file di sedie pieghevoli — alle loro spalle il prato, che già trascolorava nel grigio delle tenebre, sul quale avrebbero sfilato i diplomandi; e più oltre la spiaggia che si andava oscurando, e le acque striate di rosso dall'ultimo raggio di sole. Da qualche parte in mezzo alle madri, Iris sedeva al riparo della sua frangetta intinta nell'inchiostro blu notte, risplendente; esultava dello scandalo di essere la prima e unica sposa del Direttore Brill, la sposa della sua età matura. Avevano ammucchiato insieme tutte quelle altre — le varie signorine Feibush, Springer, Whitehill, Trittschuh, Tepperbaum, tutte quelle altre che nessuno che avesse un'età decente poteva ormai ricordare, facce e nomi, professioni e talenti andati perduti insieme alle zelanti paraninfe delle generazioni precedenti; e l'innamorata fantasma, perita in un bombardamento (o combattendo per la Resistenza, o in Polonia) a causa della quale Brill, romanticamente, non si era mai sposato. Mimi Feibush, si raccontava, suonava il pianoforte, ed era ricordata soprattutto per essere stata un'assistente sociale con velleità intellettuali; Sylvia Tepperbaum dipingeva acquarelli, e molto graziosi; Elaine Springer era nota in gioventù per avere una carnagione perfetta, eppure lui era passato oltre. Ora erano tutte donne eleganti e prosperose, madri di avvocati e professori, ed Elaine Springer era addirittura nonna di due affezionati gemelli, uno maschio e l'altra femmina: Larry e Lori. Eppure Brill era passato oltre tutte loro: fino a quest'ultima, con quel dentino impertinente e non certo più graziosa delle altre, una divorziata! Il suo ragazzino correva selvaggiamente per il prato; la signora Bloomfield dovette acchiapparlo al volo e costringerlo a sedersi, perché già risuonavano le prime note della Marcia dell'*Aida* — brillava ormai la prima stella — e le fanciulle dell'ottava stavano sorgendo (così sembrava) dalle acque incantate del lago, veleggiando lentamente verso la corsia centrale, a due a due, e sfiorando con le loro gonne di alabastro l'erba fremente, un mazzolino di fiori stretto in mano, dirette verso l'altura dove sedeva il Direttore Brill. Vide i medici inginocchiarsi galantemente, come i giovani cavalieri della Tavola Rotonda, i loro cicalini agganciati alle cinture, brandendo fotocamere dall'aria sofisticata che di quando in quando emettevano lampi abbaglianti. Vide la signora Dorothea Luchs, la signora Vanessa Lichtenberg, la signora Lillian Lebow, la signora Phyllis Kramer, la signora Edith Horwich, la signora Lenore Billiger, la signora Maxine Gould, fianco a fianco nella stessa fila; e vide i loro figli e figlie, Gregory Horwich il più alto dei ragazzi, Howard Kramer il più minuto; vide Corinna Luchs e la sua banda, e tutti quanti, come serafini, salivano a spirale il pendio avvicinandosi a lui, evanescente drappello di innocenti e bellezze dolenti. Beulah Lilt gli passò accanto, i capelli chiarissimi stretti alle tempie da un nastro bianco — lui protese la mano verso qualcosa di invisibile, come se le sue dita potessero passarle attraverso. «Tua madre è qui?» Lei annuì, lo sguardo sgomento, poi spinse ansiosamente un piede davanti all'altro per non perdere il ritmo di marcia dell'*Aida*. In quel serico abitino, la distingueva appena dalle altre figure con il nastro bianco sulla fronte che si muovevano solennemente accanto a lei. Poi venne il momento di pronunciare il discorso dentro il microfono, in piedi davanti al leggìo; concluse poi annunciando le onorificenze al merito accademico. Più di una volta Corinna Luchs salì in cima al pendio per ricevere l'applauso del pubblico; salirono anche Ronnie Lebow e Becky Gould, ma non tante volte quanto Corinna; Corinna era stata scelta dalla classe per pronunciare il discorso di commiato. Si avvicinò al microfono e lesse il suo discorso. «Noi, i nuovi diplomati della nostra amata scuola, rivolgiamo fiduciosamente lo sguardo al nostro sereno futuro», declamò, «colmi di gratitudine per i nostri venerati insegnanti e genitori, e per il nostro stimato Direttore, le cui benevole parole, *ad astra*, rimarranno nei nostri cuori per tutti gli anni a venire» — una volta aveva confidato alla signora Seelenhohl che la sua massima ambizione era diventare un pilota e cavalcare nei cieli. Era la trentaquattresima Cerimonia Annuale, per Brill; erano tutte identiche una all'altra; si sentiva stanco. Mentre pronunciava il suo discorso — quanto era suonato meschino, e irrilevante, persino alle sue stesse orecchie — non aveva ricordato Iris neppure una volta; stava pensando a Hester Lilt.

La cerimonia terminò nell'oscurità. Passi di corsa che si incrociavano per tutti i versi, trapestio, tumulto di voci, automobili che schizzavano ghiaia, strette di mano, grida, gelati spiaccicati, stelle filanti; Iris restava accanto a lui, come una consorte; era incantato dal modo in cui lei lo stuzzicava di fronte a tutte le madri. E ora, veramente, esse si comportavano in modo tutt'altro che ostile — facevano capannello attorno a Iris, quasi fosse uno strano uccellino giunto da un continente lontano. E poi l'uccellino metteva in mostra tutto il suo spirito e la destrezza nel cinguettare, e tutte quante scoppiavano a ridere entusiasticamente e guardavano Brill come non l'avevano mai guardato prima. Gli ponevano domande di nuovo genere — se la cerimonia nuziale sarebbe stata intima o aperta a tutti, quale rabbino l'avrebbe officiata, come procedevano i lavori di ammodernamento del fienile, e quante camere da letto vi sarebbero state: improvvisamente lo trattavano come fosse un giovanotto per il quale tutti provavano interesse — come un novello sposo — e lui sapeva che era merito di Iris, che inclinava il capo con tanta naturalezza, in un modo tanto dolce e affascinante, ed esibiva tanta radiosa fierezza che sprizzava fuori come se spiegasse le ali. Albert passò di corsa nei pressi, e Iris lo acchiappò al volo e lo tenne accanto a sé, mentre tutti quanti gli sorridevano come se fosse la personcina più importante che avessero mai visto. Poi arrivarono di corsa i neodiplomati, il quaderno per gli autografi in mano, e il Direttore Brill dovette firmarli ad uno ad uno, e lo stesso dovette fare Iris, proprio come se fosse una delle insegnanti; lei scrisse la stessa frase in ogni quaderno — «Buona fortuna per i tuoi prossimi anni alle Scuole Superiori» — ma questo non infastidì Brill, e neppure la sua calligrafia, che assomigliava quasi ai caratteri da stampa, molto semplice, chiara e ben allineata, ad eccezione di un tondo oblò al posto del puntino sulle *i*. Quella calligrafia lo faceva sentire a casa, persino quell'oblò. Lei era proprio ciò che lui si aspettava che fosse, una persona sensibile, dal cuore tenero che tutti adoravano. La accompagnò in macchina fino alla casa dei Papageorgiou — ormai, non la chiamavano più la *sua* casa — pur sapendo che, dato che Albert doveva andare a letto (bisognava cantargli la ninnananna ogni sera, a volte per più di un'ora), lei l'avrebbe mandato via subito; se fosse rimasto, l'avrebbe rimproverata perché trattava Albert come un neonato.

Tornando verso la scuola — era notte fonda ormai, gli alberi ombre scure, e la brezza odorosa di lago gli portava all'orecchio il remoto clac-clac dei camionisti che piegavano le sedie e le caricavano sui loro mezzi — scorse qualcuno che si affrettava a piedi giù per il viale privato che conduceva alla strada principale. Con un lampo accusatorio, i suoi abbaglianti illuminarono una donna piuttosto robusta che procedeva in senso inverso al suo, a una velocità pari a quella della sua automobile. Nella luce dei fari il suo capo scoperto si ergeva totalmente candido: era Hester Lilt. Era ingrassata; il suo mento appariva più tondo, le sue caviglie più robuste. Erano passati otto mesi da quando gli aveva riattaccato il telefono senza che se ne accorgesse. Lui non le aveva più ritelefonato. Aveva messo i suoi libri in una scatola. Il saggio che Beulah gli aveva recapitato era ancora in un cassetto della sua scrivania, ma da allora non gli aveva dato nemmeno un'occhiata. Non aveva più pensato a lei — tranne proprio quella sera, nel mezzo del suo discorso; non gli era piaciuto pensare che Hester Lilt poteva essere proprio là, seduta di fronte a lui, e criticarlo mentre diceva ciò che qualunque altro direttore avrebbe detto. Congratulazioni e aspirazioni, ripetizioni e consuetudini, nulla di diverso da tutti gli anni precedenti — soltanto, aveva tralasciato *ad astra*. La signora Dorothea Luchs si era aspettata che lui inserisse quel motto nel discorso — per questo aveva fatto in modo che Corinna lo ripetesse; ma lui l'aveva tralasciato. Durante la cerimonia aveva dimenticato di essere fidanzato. Non c'era stata nessuna onorificenza né premio di alcun genere per la figlia di Hester Lilt, non era stata neppure menzionata, era rimasta invisibile; la madre non poteva certo esserne sorpresa. Giudicò preferibile oltrepassarla fingendo di non vederla; ma poi se ne pentì. «Ehi!», la chiamò. «Che succede? Non ha trovato un passaggio?». Lei non aveva una macchina.

«Se ne sono andati tutti».

«Beulah non è con lei?».

«È andata a casa dei Luchs, per la festa dei diplomati. La madre di Corinna li ha caricati tutti a bordo di una giardinetta. Doveva darmi uno strappo fino alla fermata dell'autobus, ma se ne è dimenticata — non so, forse non c'era più posto. E tutti gli altri genitori se ne erano già andati, perché le figlie si stavano annoiando...».

«L'hanno piantata in asso».

«Non importa, prenderò l'autobus».

«E Beulah come tornerà a casa?».

«Passeranno la notte a casa dei Luchs. Una festa per sonnambuli».

Lui riprese la marcia, riflettendo, fino a raggiungere il parcheggio selciato. Quindi invertì lentamente la marcia e la raggiunse; era ormai giunta all'imbocco della strada principale.

«La accompagno a casa».

«D'accordo».

Brill non riusciva a decidere se fosse giusto o meno avviare il discorso. Per cinque minuti guidò in silenzio. Lei teneva il viso rivolto verso il finestrino aperto. Lui si sentiva come un novello sposo, qualsiasi cosa avesse fatto sarebbe stata giusta, così le disse: «Beulah era proprio graziosa».

«Oh, sì. Tutte le ragazze lo erano».

«Ha fatto la conoscenza di Iris?».

«No. Ma alcune madri parlavano di lei. Ho conversato con la signora Lichtenberg... mi ha detto cose molto interessanti».

Non aveva mai sentito la signora Lichtenberg dire qualcosa di interessante. «A proposito di Iris?».

«Sì, a proposito di Iris».

La casa di lei non era lontana; c'era di nuovo pace fra loro.

Lui arrischiò: «Beulah ha deciso quale scuola frequentare l'anno prossimo?».

«Temo di aver deciso io per lei».

«La signora Seelenhohl pensa che dovrebbe iscriversi all'Accademia. L'insegnamento è sul genere del nostro Duplice Programma, e non sono troppo severi».

«L'ho già iscritta da un'altra parte».

Fermò la macchina di fronte al portone. «Nelle vicinanze?».

«Stiamo per lasciare gli Stati Uniti», annunciò lei scendendo dall'automobile.

Ci mise parecchio ad assimilare la notizia. «E dove andrete?».

«Be', credo che si farà una risata. Io lo farei, se fossi al suo posto. Mi hanno offerto un incarico a Parigi». Era ferma sul marciapiede, e gli parlava attraverso il finestrino.

Lui pensò alle sorelle. «Un incarico? Non credo che ci sia un Ministero di Logica Immaginistico-Linguistica...».

Ora fu lei a ridere. «Laggiù la chiamano *se faire des idées*. Ma è la stessa cosa».

«*Irréprochable*. Immagino che laggiù otterrà un riconoscimento concreto delle sue capacità».

«Ne ho avuti fin troppi anche qui. Non sono stata americana una dozzina d'anni per niente».

«Io lo sono stato per niente per ben tre dozzine d'anni. Ma laggiù la gente sarà più in sintonia con lei. Le sarà più facile trovare ascolto. L'Europa», concluse, «è sempre l'Europa». Mise mano al volante, per allontanarsi dal marciapiede; invece spense il motore e tirò un lungo sospiro. Disse: «Ha buttato giù mentre le stavo parlando».

Lei sporse la testa dentro il finestrino e lo scrutò con i suoi occhi minuti; lui scorse la piccola verruca pallida.

«E ora è già per strada», gli disse.

«Per strada?».

«Suo figlio».

«È nelle mani di Dio, non crede?», osservò. «Se mai ne avremo uno». Lo disse con disinvoltura; ora non aveva più paura di usare il «noi».

«Non è già per strada? La signora Lichtenberg si dice certa che sia già per strada».

Lui chiuse la bocca. La riaprì. «Buon Dio, nove settimane!».

«Lei dice che le madri se ne accorgono».

Quanto disprezzava quelle bestie da allattamento. «È stato uno di quegli accidenti involontari. Ce lo siamo tenuto per noi, Dio lo sa. Non si nota nulla, avrà visto anche lei...».

«Dicono di essersene accorte dall'espressione del suo viso».

«Storie, io non ho alcuna espressione particolare».

«Forse non del genere che loro immaginano».

«E di quale genere?».

«Di terrore».

Capì che lei aveva voluto prendersi una piccola rivincita. Le domandò: «Perché mi ha riattaccato il telefono?». Improvvisamente, si sentiva i polmoni aridi e doloranti. «Glielo dissi, io non potrei passare ciò che lei ha passato».

«Io non ho passato proprio nulla». Serenamente, aggiunse: «Sto soltanto aspettando».

«Io non potrei vivere con una bambina come la sua. Non se fosse mia figlia».

«E con che cosa *potrebbe* vivere?».

«Con l'intelligenza, l'intelligenza!», strepitò.

Lei ritirò la testa dal finestrino. «Le auguro ciò che lei augura a sé stesso», disse; era già lontana qualche passo. «Sono certa che sia la cosa più giusta».

Rimase seduto nelle proprie stanze spoglie per più di un'ora, lo sguardo fisso sulle pareti sventrate; poi telefonò a Iris. Stava dormendo, e si svegliò irritata. La informò che un disastro pendeva sul loro capo, un vero e proprio scandalo, non quell'inezia della loro differenza d'età. Tutti sapevano che lei era incinta. «Ci sposiamo fra otto giorni, Joseph, dove sarebbe lo scandalo? È una sciocchezza». Quell'agitazione intorno alle loro vicende le piaceva. Le piaceva! Lo fulminò l'idea che fosse stata lei a raccontarlo alle madri. «Va' a letto, Joseph. Io sono esausta, sono appena riuscita a mettere a letto Albert. Pensavo che tu fossi già a casa da secoli».

«Ho dovuto accompagnare a casa una delle madri. Era tutta sola, abbandonata per la strada».

«Chi era?».

«La signora Lilt».

«Non la conosco. Non l'ho mai vista. Per stanotte hai compiuto la tua buona azione, Joseph, perciò vattene a letto».

La cerimonia nuziale si svolse in forma privata e senza sfarzo. Per compiacere Iris furono invitate tutte le segretarie, e Brill invitò Gorchak, che era l'insegnante con la maggiore anzianità di servizio. Appena prima della breve cerimonia (la sposa era considerevolmente più alta dello sposo), Brill annunciò a Gorchak che l'anno seguente gli sarebbe stata restituita l'ottava. Il rabbino Sheskin gli sarebbe subentrato in terza. Gorchak gli assicurò che non portava alcun rancore e che nulla era perduto, considerato che nel giro di un solo anno e a dispetto della sua gioventù e apparente indulgenza, il rabbino Sheskin si era guadagnato, presso gli insegnanti più anziani come era lui (Gorchak dimenticava spesso di non essere poi così avanti con gli anni), una ragguardevole reputazione di fermezza; Sheskin doveva essere un pignolo di prim'ordine, se era stato capace di mantenere la vecchia classe di Gorchak ordinata e tranquilla proprio come Gorchak aveva sempre fatto — sapeva bene come dominarli. «Spero soltanto che non sia troppo rigoroso. C'è fin troppa quiete in quella classe. Dovrebbe sviluppare di più il loro senso dell'umorismo, e cercare di farli ridere», concluse Gorchak.

«Ephraim», intervenne Iris, «noi siamo sul punto di sposarci e di avere un figlio, e lei non sa parlare d'altro che della sua popolarità!».

In luglio volarono a Parigi, perché le sorelle di Brill potessero fare la conoscenza di sua moglie e del figlio di lei. Le ABC erano invecchiate; vide come bisticciavano spesso, e come si rivolgessero battute pungenti. Joseph, Iris e Albert erano alloggiati in un economico alberghetto, affacciato sulla stessa strada dove sorgeva il palazzone di appartamenti nel quale Anne e Claire vivevano tormentosamente insieme, e ogni giorno all'ora del tè facevano visita a quelle vecchie e paffute zitelle. Berthe li raggiungeva, ruzzolando giù dagli autobus, le braccia cariche di enormi cartocci di *pâtisserie*. Aveva comprato i dolci più costosi, con glasse di tutti i colori, bignè traboccanti di cioccolato e di crema di limone. Nascosta dietro la porta, Anne sussurrò al fratello: «Vuole darsi delle arie con noi. È tutta roba che salta fuori dalle scarpe del suo defunto marito». Una lettera di Claire l'aveva informato che Berthe era tornata a vivere a Parigi, dopo la morte di Glassman; la povera Berthe era ora una vedova. Era pur vero che l'esule ungherese non l'aveva lasciata priva di mezzi. Ma lei non aveva mai pensato, neppure per un istante, di tornare a vivere con le sorelle, *non!* I vicini non erano abbastanza distinti; la *pâtisserie* non era abbastanza elegante. Inoltre, a Berthe pareva che una donna che ha avuto marito non può più abitare con altre donne, specialmente se non sono mai state sposate; nel caso di Madame Glassman, che aveva due mariti alle spalle, la cosa era doppiamente improbabile. Berthe era proprietaria di uno spazioso appartamento in un *quartier* molto più grazioso.

Nonostante la vedovanza, Berthe sembrava la più allegra delle tre. Osservò che la loro era proprio una buffa luna di miele — una *maman* giovane e leggiadra, un *papa* ultrasessantenne, un piccolo *garçon* e un nuovo *bébé* già in viaggio (*kayn aynhore*). Tutte e tre le sorelle trovavano deliziosa Iris e si affezionarono ad Albert all'istante. Lo rimpinzavano di *croissant* e *gâteaux*, e assicuravano che nulla era più propizio alla futura bellezza fisica di un ragazzino che un aspetto tanto robusto e paffutello, con tutta quella bella ciccia infantile che sembrava fatta per attirare pizzicotti affettuosi. Non era sfuggito a Iris (che si considerava piuttosto perspicace in questo genere di cose) che non correva buon sangue fra Berthe e le altre due sorelle, ma Albert sopportava gli affettuosi pizzicotti con tanto egualitarismo da far sembrare le tre sorelle in perfetta armonia; pronunciavano il suo nome alla francese, *Albèr*, esigevano che le chiamasse *Tante* Anne, *Tante* Claire, *Tante* Berthe, e organizzavano escursioni con un'efficienza che lasciava Brill esterrefatto. Per la loro età erano ragionevolmente energiche ed estremamente impetuose, e trascinavano Albert dovunque ci fosse qualcosa da vedere. «Per una volta almeno il pingue borsellino di Berthe servirà a qualcosa», sussurrava Anne da dietro la porta, «e non soltanto a darsi delle arie».

Portarono Albert in cima alla Torre Eiffel, lo portarono al Bois de Boulogne, lo portarono a fare un'escursione in barca sotto i ponti della Senna. Gli mostrarono la Bastiglia — nient'altro che una colonna — e poi si avventurarono dentro il Metrò, per emergere agli Champs-Elysées. Gli mostrarono i campanili gemelli di Notre Dame e l'Arc de Triomphe. Lo condussero all'Opera, con la sua imponente scalinata, i soffitti affrescati e la sontuosa illuminazione, e al cinema Rex — gli piacque più il Rex che il *Guglielmo Tell*. Restarono a bocca aperta di fronte al Palazzo dell'Eliseo, al Museo delle Cere di Montmartre, alle capre di montagna del Parc Zoologique. Lo condussero persino, in una macchina a noleggio (pagata da Berthe), fuori città fino ai giardini di Versailles, e quando gli domandarono — nel Salone degli Specchi del Re Sole — cosa gli fosse piaciuto di più di tutte le loro avventure, lui rispose i *croissants*.

Un pomeriggio Anne si prese un raffreddore estivo — lo attribuì alla brezza umida del fiume; la gita sulla Senna era stata un'idea di Claire — e così Claire accompagnò Albert a vedere le acrobazie equestri in Rue Amelot; gli aveva promesso che dopo avrebbero fatto una sosta in *pâtisserie* e quindi sarebbero andati di nuovo al cinema Rex. Berthe venne a prendere Iris, e la convinse ad accompagnarla in giro per i negozi — Iris borbottava che i negozi di Parigi erano troppo cari e che non c'era paragone, in America era tutto di qualità superiore. «Aspetta! Non hai ancora visto le scarpe di Faubourg St. Honoré!», esclamò allegramente Berthe;

conosceva un *bottier* che era stato cliente della fabbrica di Glassman, e che avrebbe riservato a Madame Glassman un trattamento particolare, per onorare la memoria del suo defunto marito.

Brill rimase a casa a prendere una tazza di tè con Anne; poi lei si arrabattò alla ricerca della borsa dell'acqua calda con cui s'infilò sotto le coperte. Lui si accomodò sulla sedia a dondolo accanto al letto della sorella: gli capitava per la prima volta di parlare da solo a solo con una delle sorelle. La memoria del passato gli infiammava le reni. Le bottiglie scure di salamoia, Gabriel e Loup, *maman* e *papa*, Michelle, Leah-Louise, il rabbino Pult, le minuscole unghie di Ruth — lo colpì il pensiero che ora Ruth avrebbe potuto essere una donna sui quarant'anni. Non riusciva a inghiottire quel bruciore. «Hanna», mormorò, chiamandola con il vecchio nome che avevano usato in famiglia; ma si interruppe. Gettò un'occhiata verso il letto. Troppo pallida, troppo fragile, troppo sciatta, troppo orribilmente raggrinzita, la bocca da megera spalancata e ronfante, la sua consunta sorella giaceva addormentata; vecchia, esausta, esclusa dalla storia.

Rimasto solo, saltò su un autobus e si lasciò portare a casaccio. Lo confondeva udire i palpiti della lingua madre uscire dalle gole di quei passeggeri ordinari. Era normale ed anormale a un tempo. L'intimità di quelle perdute inflessioni! Che sgorgavano dalle gole di un intero popolo! Per la prima volta si rese conto di dove si trovasse. Sapeva dove voleva essere. Domandò informazioni al conducente, saltò giù dall'autobus, si imbarcò su un altro, scese a un crocevia, percorse per un tratto una strada deserta e si trovò di fronte ai cancelli del convento. Rimase lì a lungo, fissando il portone con tanta intensità che presto le congiuntive cominciarono a dolergli, come se non sbattesse le palpebre da tempo. Non entrò né uscì nessuno. Pareva che la scuola che un tempo vi aveva trovato asilo si fosse trasferita. Dove erano andate le fanciulle? Dove erano andate le monache? Che fine aveva fatto quella Renée a causa della quale era stato esiliato nel fienile? Di Claude, invece, aveva notizie sicure. Si poteva trovare la firma di Claude in ogni edicola, una volta alla settimana. Claude poteva essere rintracciato. Claude si era distinto. Formando un numero sul disco del telefono, si poteva riascoltare la voce di Claude: che turbinoso velo di polvere antica! La Francia era l'Egitto: il principio dell'eclissi dalle stelle del Direttore Brill. Claude l'aveva chiamato Dreyfus. Claude, un critico d'arte, pittura, disegno, scultura: era naturale, predestinato. Il portone si aprì; il viso di una piccola giovane monaca fece capolino, rigidamente incorniciato da una cuffia bianca. Di colpo il sudore intrise la parte posteriore della camicia di Brill. «Salve!», gridò. «Io sono stato ospite qui. Rifugiato. Sono stato nascosto in questo convento. E mi sono salvato», gridò ancora. «Un ebreo. Durante la guerra». La piccola suora si abbassò sulla fronte la mezzaluna bianca e di là sotto gli sorrise, diffidente e timorosa; chiuse la porta. Si sa che i folli sono attratti dai conventi. Quale guerra? Non sembrava avere più di dodici anni. Le quattro monache che avevano disposto la sua salvezza erano state certamente trasferite dovunque si ritirino le monache in pensione: anziane, austere, spossate, anch'esse ormai escluse dalla storia; mute; defunte. Eppure Parigi continuava. Parigi andava avanti, senza bisogno di lui. Si accorse che era una splendida giornata. In fondo a un vicolo che sbucava in un viale affollato, scorse la fiumana di turisti estivi che bighellonavano, sventolando mappe e guide, impacciati dalle borse a tracolla. Anche lui era un turista, inchiodato davanti a quell'oscuro convento metropolitano all'unico scopo di esaminare i feroci angeli che ornavano il cancello di ferro battuto. Ora non gli era possibile varcare quel cancello più di quanto gli sarebbe stato possibile, se fosse entrato, riprendere la tenebrosa vita nel sotterraneo.

Andò invece al Museo Carnavalet. Il giardino era diverso da come lo ricordava: era mille volte più squallido, più spoglio, più tetro e più sassoso. La sua mente adolescente, sommersa, si librava alta, esuberante di efflorescenze — esplosioni di sensualità, petali tanto voluttuosi da squarciarsi per l'eccessivo rigoglio, foglie scintillanti di un verde tanto intenso da rassomigliare, nelle sue fantasie infantili, ai fianchi di lucertole dai torpidi movimenti. Invece c'era soltanto qualche vaso, dove crescevano pochi radi steli. Una volta dentro, attraversò di corsa i corridoi alla ricerca della statua di Rachele. O non era più al solito posto, oppure lui non era più in grado di trovarla. Domandò al custode di indicargli la strada per l'appartamento di Madame de Sévigné, e si trovò finalmente di fronte al suo ritratto — paffuta, sagace, moderna. Il vento di cinquant'anni, più di cinquanta, gli scompigliò i capelli: era come se dovesse affrettarsi, in quel preciso istante, per mettere in fila le sedie per la lezione del rabbino Pult. La familiare inquietudine di essere in ritardo, la tensione dei nervi del collo. Era in ritardo, in ritardo; non avrebbe mai più fatto in tempo. Tuttavia notò con interesse che ora la Marchesa era disposta a rivelare niente più che una tenue patina di rassomiglianza con Hester Lilt, appena avvertibile. Un paio di centimetri di mento, forse. Madame de Sévigné mancava della pallida verruca. Il resto — l'altero, ironico, aristocratico, penetrante stiletto degli occhi ridenti — era certamente frutto della sua circospetta lettura. Della sua stessa vergogna. Era ancora oscuramente timoroso di quel luogo; sua madre gli aveva instillato quel timore. Gli sovvenne allora che avrebbe potuto rintracciare Hester Lilt, se lo avesse desiderato, con la stessa rapidità con cui, se lo avesse desiderato, avrebbe potuto rintracciare Claude. Poteva pescarla nell'elenco telefonico; poteva pescarla dal ventre di Parigi. In quella lontana città (lontana? Perché lontana? Ah, si rese conto, lontana dalla *scuola*), lei certamente non era più estranea di quanto lo fosse sua sorella Berthe. Il Museo Carnavalet non aveva nulla da dargli; si lasciò alle spalle il giardino che aveva fatto fremere d'estasi il suo cuore di fanciullo, e si imbarcò su un altro autobus. Il mezzo fece il giro della Place des Vosges, con i suoi assurdi restauri del diciassettesimo secolo (solo Madame de Sévigné poteva sopravvivere al tempo), poi imboccò il torbido Marais fino a raggiungere la Rue des Rosiers. Percorrendo questa via, la via dove suo padre aveva vissuto, Brill distolse lo sguardo dal finestrino, e le sue mani si aggrapparono convulsamente alla spalliera del sedile di fronte.

Credeva di essere diretto a casa delle sorelle, e ci sarebbe arrivato, se non avesse colto il brillante incresparsi della Senna, la rivelatrice esuberanza di verde delle Tuileries, le interminabili mura color miele del Louvre. Era ancora presto, il pomeriggio era appena iniziato — impulsivo come un qualsiasi turista, saltò giù dall'autobus e vagò in mezzo agli antichi e foschi dipinti incorniciati da dorature barocche. Capì che ormai non era più nativo di quei luoghi; non era diverso dalle dozzine di stranieri, tedeschi, spagnoli, danesi, italiani; sedette su una panca ad osservarli andare e venire. Poi si rialzò, senza uno scopo, calamitato dal succedersi delle sale, e salì faticosamente un'enorme scalinata fra bronzi e sarcofaghi fino a raggiungerne la cima, dove s'imbatté con un sussulto nella Vittoria Alata, montata su un mucchio di pietrisco. Senza testa, senza braccia, un'invisibile brezza marina le agitava l'abito. L'unica, eterna ala. Passò sotto quell'ala con i polmoni inariditi; aveva l'impressione di essere entrato in quel luogo per amore di Claude, o dell'immortalità. Fiutava la pista di Claude, era adescato dall'effluvio della cavità sotto l'ala di Claude. Avanzava fra concitate comitive di signorine inglesi (maestrine in vacanza: Brill riconosceva un insegnante quando ne incontrava uno, di qualunque nazionalità fosse), lasciava che lo trascinassero sempre più dentro le gallerie dedicate all'arte classica, oltre cacciatrici e gladiatori, oltre il radioso torso di un Apollo, oltre le gambe poderose di un cavaliere spartano. Era come se non fosse mai esistito un popolo ebraico, nessun Abramo o Giuseppe o Mosè. Nessuna traccia del sacro regno di Israele. In una modesta nicchia accanto a una porta, imponente, fulgida come un volo di candide saette, la Venere di Milo attirava lo sguardo. I capezzoli le respiravano sui seni. Aveva carni di marmo luminose come fossero velate di latte.

Brill si addentrò in Mesopotamia, in Assiria, in Egitto: qui una Iside azzurra era assisa su un trono d'oro. Questi idoli e simulacri lo terrorizzavano; anche ora Claude lo adescava dentro quelle sale sontuose di splendore e bellezza. Un corteo di fanciulle gli trottò accanto e lui immaginò che una di esse, l'ultima della fila, dai biondissimi capelli cinti da un nastro bianco sulla fronte, che le ricadevano lungo la schiena eretta fin quasi a nasconderle la vita esile e flessuosa, fosse Beulah Lilt. Nell'incandescente penombra di quella pubblica caverna gli appariva angelica, quasi come gli era apparsa il giorno della Cerimonia, mentre sfilava in processione, soltanto che ora la processione girava attorno alla grande sala, contemplando con occhi vivaci antiche anfore da vino greche. Se gli occhi erano vivaci, non poteva essere Beulah. Poi allungò il collo per guardare meglio, e si accorse che era proprio lei. Che strano, sognare di Claude, maestro di quelle forme risplendenti, e imbattersi invece in quell'apatica fanciulla, travestita di luce! Gli fluttuò accanto ancora una volta, turbinando attorno alle bacheche di vetro stipate di urne dipinte. Chiamò: «Beulah. Beulah Lilt». Lei si voltò, rivelando le sue pietre verdi, e lo scrutò come se avesse qualche orribile difetto fisico; non si avvicinò. Lui pensò che fosse troppo timida per allontanarsi dalle altre e così, incurante della decenza o della discrezione, seguì le fanciulle nel salone adiacente pieno di luce. «Beulah», chiamò. Lei non si voltò. Il corteo svanì nuovamente dentro un altro salone. Brill rinunciò e non le seguì più. Vagò per le strade godendosi il clima mite finché non trovò l'autobus giusto, quindi ritornò a casa delle sorelle e si preparò un'altra tazza di tè.

Dalla camera da letto Anne gracchiò: «Joseph? Sei tornato?».

«Ti sto portando il tè», disse lui.

Lei si stava mettendo a sedere, vigile e sofferente. «Hai fatto un giro?».

Le disse che era stato al Louvre.

«È molto bello, si dice. Una volta o l'altra dovrò spingermi fin laggiù per scoprire di persona di cosa si tratta. Joseph», aggiunse, suggendo il tè da un cucchiaio fumante, «le cose si sono messe bene per te!».

«Voi tutte mi avete sempre accusato di andare alla deriva».

«Non dovresti tenere ancora il muso, è passato tanto tempo. Albert è proprio un bel ragazzino, e presto ne avrete uno vostro. Grazie a Dio sei sposato, Joseph, e questa è la cosa più importante».

«Ora parli come Berthe».

«Vorrei sperare di no. Iris dice che quei lavori di restauro hanno dato ottimi risultati. Dice che il bagno e la cucina sono quanto di più moderno si possa desiderare».

«In America sono bravissimi per gli impianti idraulici».

Questo la fece ridere, e ridere la fece tossire. Si portò una mano al petto, e lui attese che si calmasse. Improvvisamente gli fu chiaro come il sole che lei non gli avrebbe permesso di parlare del passato; non gli avrebbe permesso di parlare delle loro perdite. Si rese conto che era tornato in Egitto soltanto per contare le perdite. Le sorelle invece contavano le grazie ricevute: la saggezza delle donne anziane. Le ABC erano ottimiste ed edoniste. Resistevano all'assalto dei ricordi. Era dell'abilità degli idraulici che volevano parlare; erano come Iris. Comunicavano con Iris per mezzo di Berthe, che aveva imparato l'inglese dal suo primo marito, nel panificio di Manchester.

«Ora sei una persona importante, Joseph, *n'est ce pas*? Iris dice che la tua scuola ha più iscritti di qualunque altra dello Stato».

«Oh, a lei piace gonfiare le cose».

«Dice che il lago è meraviglioso».

«D'estate. D'inverno è spesso burrascoso. Le onde schiaffeggiano come terremoti».

Continuarono a chiacchierare. Claire e Albert tornarono presto, ridacchiando entrambi perché in tutta la giornata non erano riusciti a scambiare neppure una parola. «Alla mia età, la lingua non si sforza più di imparare cose nuove, e Albert non prova nemmeno a pronunciare una sillaba di francese. Ma è andato tutto bene ugualmente, per gli acrobati equestri non c'era bisogno di traduzioni, e quanto ai *croissants*, Dio solo sa come si intendono a meraviglia!». Albert aveva in mano un intero sacchetto di dolci, e un palloncino azzurro acquistato al circo; persino il cinema Rex era stato un successo, dato che vi proiettavano, meraviglia fra le meraviglie, un cartone animato di Walt Disney. Albert si stava divorando, disse Claire, la quinta ciambella. Infine arrivarono anche Berthe e Iris, cariche di pacchetti di tutte le forme e dimensioni. «Non ho potuto resistere, Joseph, ho comprato *tre* diverse paia di scarpe, erano così a buon mercato! Berthe conosceva il negoziante!». Berthe si occupò di lavare Albert, mentre Claire preparava la cena; Anne si trascinò giù dal letto e sedette a tavola con gli altri, avvolta in uno scialle invernale in pieno luglio. Albert raccontò di un clown che stava in piedi su una gamba sola sulle spalle di un altro clown che stava in piedi su una gamba sola sulla sella di un cavallo, mentre un ombrello rosa restava dritto e immobile sulla groppa ondeggiante della bestia, e Iris disse che Berthe le aveva mostrato alcuni negozi veramente convenienti, proprio il genere di negozi che ci si aspetta di trovare a casa, in America, mentre Claire, Anne e Berthe discutevano se le patate fossero o non fossero ben cotte. Claire diceva di no; Anne diceva di sì, che si era ricordata lei di metterle in forno, anche se a pomeriggio inoltrato, dato che si era addormentata per via del raffreddore; Berthe diceva che in primo luogo non avrebbero dovuto servire delle semplici patate, cotte o no, ma avrebbero dovuto pensare a qualcosa di più adatto all'occasione — nel giro di pochi giorni Joseph, Iris e Albert se ne sarebbero andati. Aggiunse che lo sbaglio era stato non andare tutti quanti a cena a casa sua, che allora ci avrebbe pensato lei a mostrare a quegli americani che cosa fosse veramente la cucina francese! E in una elegante sala da pranzo in legno di ciliegio, in un grazioso quartierino! Anne ribatté che sarebbe stato impossibile, la sua testa era ovattata dal catarro, era sull'orlo della polmonite, e tutto per colpa di Claire che l'aveva trascinata su un battello in mezzo agli spruzzi, quando era chiaro che Albert si sarebbe divertito di più a giocare con una barchetta nuova sulla riva del lago delle Tuileries. Le Tuileries, *quelle* erano le bellezze di Parigi!

A questo punto le venne in mente: «Oggi Joseph è stato al Louvre».

«Non è il museo più grande della città?», intervenne Iris.

«È famoso in tutto il mondo», disse Berthe.

«La Venere di Milo è custodita lì», aggiunse Claire, autorevolmente.

Albert disse: «Voglio un altro *croissant*».

Tutte e tre le sorelle rimasero a bocca aperta; sorrisero radiosamente. Albert aveva pronunciato *croissant* alla perfezione.

«Iris», esclamò Berthe esultante, «se lasci Albert con noi un altro paio di settimane, ti rimanderemo a casa un piccolo francese!».

Mentre si sforzava di schiacciare con la lama del coltello una patata quasi completamente cruda, Brill non era più sicuro di avere effettivamente visto Beulah Lilt. Le scolarette quattordicenni — avrebbe presto compiuto quattordici anni — hanno spesso i capelli biondissimi cinti da nastri bianchi, i polsi esili e la vita sottile. Se Beulah gli si fosse avvicinata, cosa avrebbe potuto dirle? Come sta tua madre, Beulah? Come ti trovi a Parigi? Beulah, avrebbe potuto dirle, che angoscia sei per il mondo, com'è penoso che tu non sia riuscita ad elevarti! Alla tua età ci vuole poco ad essere graziosa, ma a che serve essere come sei, apatica e insignificante, priva di volontà, priva di entusiasmo, scialba, scialba, scialba, a che serve, una sconfitta dietro l'altra, senza passato, senza prospettive, senza mai realizzarti, senza mai distinguerti, essere tanto mediocre mentre il cervello di tua madre arde senza posa!

Gettò uno sguardo all'altro capo dell'allegra tavolata.

Aveva mortalmente paura di Albert.

Sull'aereo che li riportava verso casa Iris andò a chiudersi nel gabinetto; diceva di avere una stranissima emorragia. Brill fremette di segreta speranza. Un aborto avrebbe messo fine alle sue paure. «Senti», disse Iris, «se perdiamo questo, ne avremo un altro. Proveremo di nuovo». «No», replicò lui, «se perdiamo questo, pazienza. Sono troppo vecchio per fare da padre a qualcuno». «Ti sbagli, Joseph! Tu sei già il padre di Albert». «Va bene, allora. In questo caso, Albert è sufficiente. Un Albert è più che sufficiente, non deve essere necessariamente del mio stesso sangue». La vide arrossire. «Io credo invece che tu ci tenga ad avere un figlio tuo. E se ci tieni», aggiunse, «e ammettendo che questo sia perduto, non vorrai allora fermarti troppo presto, vero?». Quelle parole così familiari, così terribili, lo sconvolsero; le aveva coniate Hester Lilt, eppure eccole scaturire dalla bocca della sua frivola mogliettina. Lei indossava un nuovo maglione di lana bretone, un nuovo braccialetto con pendenti e una nuova collana tintinnante, ognuno un regalo di una delle sue sorelle. «Hai fatto proprio bene a sposarti, Joseph», gli avevano detto le sorelle mentre si scambiavano il bacio d'addio. In una costosa libreria inglese dietro l'angolo di casa sua, Berthe aveva comprato un libro di favole per Albert, perché avesse da leggere in aeroplano; Brill non le aveva detto che i libri di favole annoiavano a morte Albert.

Non si trattava di un aborto, dopo tutto — ma soltanto di un episodio sporadico, e innocuo, grazie a Dio — e a metà dicembre il bimbo nacque, in ottima salute. Era proprio il figlio che Brill aveva sperato di avere. Lo chiamarono Naphtali, come il padre di Brill. Il giorno della circoncisione nevicava, non molto fitto, ma abbastanza da acuire l'eccitazione di Brill di una pellicola trasparente di ardore, come una lente che focalizza con precisione. Montagne di dolci e di formaggi ricoprivano le tavole e le credenze; l'odore del pesce affumicato feriva le nari. Gli ospiti lasciavano l'impronta delle scarpe sullo zerbino, scuotendosi di dosso i cristalli di neve — che già si scioglievano in lacrime lucenti lasciando piccole macchie circolari. Il bimbo strillava come un alberello estirpato, e si calmò soltanto quando un batuffolo di cotone intinto nel vino gli sfiorò la minuscola lingua. Brill si sentiva come se gli avessero circonciso il cuore; si era spogliato dell'involucro originario della sua inveterata, malinconica letargia per indossare quell'esultanza rituale; era un uomo simile ad altri uomini.

Albert aveva iniziato ormai da tre mesi il suo secondo anno

scolastico; come per incanto, Brill scoprì che esistevano altri valori nella vita. Da un giorno all'altro, smise di contare gli anni scolastici; percepiva la totalità di ogni cosa, tutto era simultaneo! Il neonato, il suo faccino miracoloso, risvegliava in lui emozioni mistiche. Eppure era diventato normale. Cercò di parlarne a Iris; ma lei scoppiò a ridere. «La gente normale non pensa di essere normale», osservò sensatamente. Poi domandò se gli insegnanti gli avessero parlato di Albert. «Sono soddisfatti di lui? Sta imparando qualcosa?». Albert non aveva mai voglia di fare i compiti; Iris si preoccupava; a volte lo sgridava. Quando Iris rimproverava Albert, Brill si trovava qualche lavoro da svolgere in ufficio; non aveva nessuna voglia di rincasare in quelle stanze luminose che si affacciavano sul cortile, tanto stipate di mobili — i lavori di restauro erano terminati; ormai era diventato un appartamento elegante e funzionale. Albert disponeva di un televisore personale; passava i pomeriggi incollato allo schermo mangiando biscotti, e teneva il volume altissimo quando si credeva che stesse facendo i compiti. Il piccolo strillava con la potenza di un mantice ogni volta che Iris sgridava Albert. Ad Albert non piaceva più il *baseball*: era diventato troppo grasso. Di quando in quando, attraversando lo spiazzo selciato dove fermavano gli autobus, Brill alzava lo sguardo verso le sue finestre — c'era lo stesso baccano di sotto le finestre dei Papageorgiou.

Eppure era normale. E questo faceva scorrere il tempo diversamente. Portava il bimbo a passeggio in carrozzina, gli mostrava i conigli e i fili d'erba mossi dal vento. Iris promise ad Albert che gli avrebbe permesso di dondolare Naphtali sull'altalena, quando il fratellino fosse cresciuto abbastanza. Ma Albert prese l'abitudine di scappar via dopo la scuola; non scappava lontano, soltanto fino alla spiaggia, saltando pesantemente da una roccia all'altra. Alcune rocce erano scivolose, coperte di muschio limaccioso. Iris si preoccupava che Albert potesse farsi male, e mandava Brill a cercarlo per riportarlo a casa a fare i compiti. «Albert, vieni qui!», gridava Brill osservando le onde, onda dopo onda, e sempre la stessa onda. Questa riflessione non lo sgomentava più. Tutti i suoi antichi tormenti si erano offuscati. «Albert, vieni qui!», gridava. Pensava tutto il tempo a Naphtali. Non faceva più caso a come l'ottava svanisse e ritornasse, si dissolvesse e ricomparisse. Era diventato indifferente alla Cerimonia Inaugurale e alle tenebre che eclissavano il lago facendo illividire il sole. L'antica, gelida consapevolezza cosmica dell'eterno ricorso e della perpetuità l'aveva abbandonato; pensava sempre a Naphtali. Tutto quello che riguardava Naphtali procedeva in linea retta — lui progrediva sempre, era sempre speciale. Un duplicato sarebbe stato impensabile — era veramente molto sveglio. Chiacchierava di continuo, i suoi occhi brillavano come quelli di Iris; ma era capace di imparare qualunque cosa, e in un baleno. A quattro anni e mezzo era più sveglio di quanto fosse Albert a undici; lo iscrissero in anticipo al primo anno. A undici anni era ancora più sveglio di Albert, che ne aveva quasi diciotto. Compiuti i diciotto anni, Albert lasciò l'Accademia per un piccolo *college* canadese, dove l'avrebbero trasformato in una specie di uomo d'affari; ma il suo unico vero interesse erano le automobili. Non gli importava nulla di Naphtali; disse che l'unico motivo che l'aveva convinto a partire per il *college* era che in quel modo si sarebbe finalmente sbarazzato di Naphtali. Dal *college*, Albert non scrisse mai per chiedere denaro; sembrava fosse pieno di soldi; nelle sue lettere non parlava mai delle lezioni. Iris volò a nord per scoprire la ragione di tanta inspiegabile ricchezza. Albert aveva trovato lavoro in un'autorimessa di Hamilton. Iris tornò a casa ridendo. «Quel furbacchione ci ha presi in giro!», esclamò.

Ma Naphtali era veramente intelligente. Brill pensava incessantemente all'intelligenza di Naphtali, non tanto perché fosse un sollievo (benché all'inizio, ed anche in seguito per molto tempo, fosse stato proprio un sollievo — Naphtali non era come Albert), ma perché gli dava un'immensa gioia. Quando ripensava al passato — e talvolta gli capitava — si risentiva del fatto che Hester Lilt avesse percepito il suo terrore. Ma quel terrore era diventato il suo trionfo. E comunque, non aveva mai avuto veramente paura — lei gli aveva attribuito quel terrore a causa di Beulah. Ma Naphtali non era come Albert, Naphtali non era come Beulah! Calcolò che Beulah dovesse ormai essere una donna sui vent'anni. Non riusciva ad immaginare altro di lei, se non quanto dovesse essere cresciuta ora che l'anonimo flusso dell'umanità l'aveva inghiottita. Capì di non averla veramente incontrata a Parigi; quello del Louvre non era stato che un fantasma; l'aveva creduto reale perché stava pensando alla madre. La madre non apparteneva al flusso anonimo, eppure Parigi l'aveva ugualmente inghiottita; non aveva più sentito parlare di Hester Lilt. La sua fama (lei non aveva fama) era terribilmente ristretta; bisognava essere lettori di un certo genere, e lui non lo era. Era stato soltanto perché la sua ombra era fugacemente apparsa sullo schermo del suo televisore, che lui aveva potuto riconoscerla. Aveva notato che l'avevano notata; era questo il valore che lei aveva ai suoi occhi. Ricordò quanto gli epistemologi fossero stati deferenti con lei: aveva presunto che si rivolgesse ad un pubblico di specialisti, e così era sempre stato. In realtà non era mai riuscito a seguire lo svolgersi del suo pensiero. E tuttavia lei aveva regalato alla sua scuola un attimo di grande prestigio — otto anni su quaranta e più non sono che un attimo; lui aveva cercato di trarne il massimo vantaggio; non c'era più stato nessuno come lei; Brill doveva ammettere di esserne rimasto abbagliato. Ma, nonostante questa sua sublimità, lei era prigioniera di un incantesimo. Non era soltanto una pensatrice, era una donna. E il suo grembo non aveva saputo generare altro che Beulah! Iris, con il suo cervellino ordinario, aveva saputo fare di meglio! *Ad astra!* Dalla polvere alle stelle. Iris era passata, non senza il suo contributo, dalla comune argilla di Albert alla materia stellare di Naphtali.

Naphtali era l'allievo più brillante della classe. La sua mano era sempre la prima a levarsi. Era pur vero che gli insegnanti lo trattavano con una certa deferenza, dato che era il figlio del Direttore Brill — ma si erano comportati allo stesso modo anche con Albert, finché Brill non li aveva pregati di smettere. «Non riservategli alcun trattamento particolare; non trattatelo pensando che è mio figlio; sapete bene che non è mio figlio», e da quel momento avevano cominciato a trattare Albert come meritava. Trattavano anche Naphtali come meritava, ma con una sfumatura di deferenza — questa volta Brill non ebbe nulla da obiettare, perché la deferenza era proprio ciò che Naphtali meritava. Era difficile stabilire in quale disciplina Naphtali riuscisse meglio; riusciva benissimo in tutto; non aveva un talento particolare, a parte quello di compiacere gli insegnanti. Per compiacere gli insegnanti, chiedeva sempre che gli assegnassero più compiti a casa e più ricerche extrascolastiche; ma Brill sapeva che i suoi insegnanti non ne erano affatto compiaciuti: serviva soltanto a farli bofonchiare, ad accrescere il loro lavoro, e Brill ne gioiva in segreto, perché nessuno di loro osava protestare — chi sarebbe stato tanto audace da affrontare gli occhi splendenti del figlio del Direttore Brill? Se si richiedeva alla classe di recensire un libro in due paginette, Naphtali arrivava a scuola con un papiro sottobraccio; aveva riassunto l'intera trama. Se il compito consisteva nel disegnare una mappa, Naphtali ricostruiva una catena montuosa con la plastilina, e sottraeva gli specchietti da cipria di Iris per imitare i laghi. Era ambizioso oltre ogni limite; mirava in alto. Nessuno l'aveva mai incitato ad elevarsi; il fato l'aveva progettato così. «Lasciategli piena libertà», Brill ammoniva gli insegnanti, «lasciatelo marciare a tutto vapore!». Soltanto il rabbino Sheskin (ormai era sposato, e padre di quattro bimbette — non aveva più l'aspetto di un fanciullo dagli occhi da cammello; ma la sua voce era sempre soave e vellutata) una volta aveva detto a Naphtali: «Dovresti riflettere su un sonetto, su quanto sia conciso. Dovresti meditare sul molto contenuto nel poco. Considera un verso del Talmud, quanto è succinto. Considera le brevi melodie che Mozart componeva in gioventù. Considera le venature di una foglia». Questo aveva fatto infuriare Brill. «Non ponga dei limiti al mio ragazzo! Mediti piuttosto su ciò che *lei* è! Non è che un misero insegnante di una misera scuola! Non valuti mio figlio secondo la sua unità di misura! Non potrà mai costringerlo dentro il suo limitato orizzonte!». Il rabbino Sheskin aveva obbiettato: «Ho soltanto cercato di spiegargli che un sonetto non si compone che di quattordici versi. Direttore Brill, anche per Shakespeare un sonetto ha soltanto quattordici versi, e volevo raccontargli di Mozart...». «Non mi interessa», aveva ribattuto Brill, «si attenga al programma della terza!».

Iris trasferì il televisore personale di Albert nel soggiorno. Albert non tornò più a casa. Era diventato comproprietario di un distributore di benzina annesso a una rivendita di automobili usate, ad Hamilton; il suo socio era un ottimo meccanico; Albert viveva insieme a una ragazza del luogo, una cameriera. Brill ne fu sollevato. Ora c'era soltanto Naphtali.

Dopo cena, Iris e Brill guardavano vari programmi televisivi. Dovevano tenere il volume molto basso, non perché Naphtali stesse facendo i compiti — Naphtali terminava i suoi compiti in un baleno — ma perché era impegnato in qualche progetto extrascolastico. Quell'anno insegnavano in sesta sia Gorchak che la signora Seelenhohl; il programma della Seelenhohl riguardava la Rivoluzione Americana. Naphtali adorava la signora Seelenhohl, tanto quanto adorava Gorchak, e naturalmente era il migliore fra gli alunni di Gorchak. Questo ammorbidì l'opinione che Brill aveva della Seelenhohl. Cominciò a pensare che forse la «partecipazione al lavoro di classe» era una buona cosa, dopo tutto — Naphtali era bravissimo in quel genere di cose: Brill era meravigliato dalla rapidità con cui Naphtali escogitava opinioni da sostenere. Come supplemento al programma di Studi Sociali, Naphtali ebbe l'idea di compilare un Album Biografico Illustrato — avrebbe contenuto la storia della vita, dal giorno della nascita a quello della morte, di ogni personaggio che avesse avuto qualcosa a che fare con la Rivoluzione Americana, sia di parte inglese che indipendentista. Vi lavorava in camera da letto. Il suo comò era sommerso di illustrazioni ritagliate da una cinquantina di riviste diverse. Intendeva includervi anche Lafayette, e ogni soldato del suo corpo mercenario di cui avesse trovato notizia. Era il progetto più ambizioso che avesse mai intrapreso fino a quel momento; era talmente ambizioso che era costretto a consultarsi spesso con la signora Seelenhohl.

«Non vorrai scrivere tutta un'*enciclopedia*, vero Naphtali?», lo schernì lei, ma se ne pentì subito.

Egregia signora Seelenhohl (le scrisse Brill), mi è giunto all'orecchio che lei avrebbe cercato di scoraggiare Naphtali dal proseguire una davvero notevole esperienza di apprendimento autonomo. Se il ragazzo ha una capacità di produrre tanto prodigiosa, per la sua giovane età, è giusto permettergli di esprimerla, e vorrei sperare che i suoi insegnanti non la considerassero invece un'occasione di scherno. (Come noi tutti ben sappiamo, l'inglese dottor Samuel Johnson compilò un Dizionario tutto suo, ed anche il mio compatriota Diderot pubblicò proprio ciò che lei trova tanto buffo: un'Enciclopedia!). La pregherei perciò di voler essere tanto buona da aiutare Naphtali nella ricerca delle fonti. Egli abbisogna in particolare di alcune riproduzioni di ben noti ritratti. Lei forse potrebbe dedicargli un po' del suo tempo accompagnandolo in biblioteca (la biblioteca comunale, se la nostra dovesse dimostrarsi inadeguata), al di fuori dell'orario scolastico. Vorrei poterle offrire una qualche ricompensa per il suo interessamento, ma lei conosce bene i nostri problemi finanziari.

In fede,
Direttore J. Brill

Non era abitudine di Brill confidare alla propria moglie le sue scelte concernenti la scuola ma, dato che quella lettera riguardava Naphtali, uscì dalla cucina — l'aveva buttata giù di getto sul tavolo di cucina — e andò in soggiorno per mostrargliela. Lei era seduta davanti al televisore, e faceva tintinnare i suoi braccialetti in un modo che lo irritava. Soltanto di recente era diventato consapevole delle molte cose che lei faceva e che lui trovava irritanti. Iris lesse la lettera e spense il televisore. «Oh, Joseph», cominciò, «non saprei. Il loro stipendio è già insufficiente a compensare il normale orario di lavoro...». «Per favore! Non cominciare a darmi lezioni di politica amministrativa. Non sai neppure *quanto* in effetti prendano. Tu non ti sei occupata personalmente dell'amministrazione per più di dodici anni. I loro stipendi sono più alti adesso di quanto non lo fossero allora». Lei rifletté un istante; aveva passato da un mese i quarant'anni, e sotto la frangetta si celavano arabeschi di piccole rughe. «Vuoi sapere cosa penso di questa lettera, Joseph? Penso che sia la lettera di un vecchio. Ed è questo che è». «Non sai cosa stai dicendo», ribatté lui, trattenendo a stento la collera. «La Seelenhohl non ha fatto un'ora di vero lavoro per anni. Non può farle che bene un po' di attività — e io mi divertirò un mondo a vederla finalmente sudare. È un'infingarda. Una fannullona». «Naphtali l'adora». «A Naphtali piacciono tutti i suoi insegnanti. A Naphtali piace la scuola. Gli piace studiare». «Soltanto perché gli piace emergere, essere il migliore», osservò Iris. «Preferiresti forse», sbottò Brill, «che gestisse una stazione di servizio?». «Una volta eri più idealista, Joseph. Ti preoccupavi di essere sempre giusto ed imparziale». «Ora sono un padre, e mi interessa di più l'ambizione». «L'ambizione di chi?», domandò lei acutamente. «Di Naphtali». «Soltanto un vecchio avrebbe detto una cosa simile. Tu non desideri più niente per te. Nemmeno me».

Era assolutamente vero. Era proprio un vecchio — aveva ormai quasi sessantasei anni e, nonostante le sollecitazioni dei membri del Consiglio di Amministrazione, non pensava affatto di ritirarsi — e lei era la donna più banale della terra. Nulla di quello che diceva riusciva a interessarlo. Alludeva spesso alla sua età; e vi alludeva come se quell'argomento stesse diventando motivo di scherno fra di loro — non era il solito atteggiamento giocoso di un tempo, ma qualcosa di nuovo, greve ed insolente. Il suo tono era sguaiato. La sua ilarità smodata ed eccessiva. Era sempre troppo indaffarata, e tutta quell'operosità aveva lo scopo di rendersi più splendente e scintillante. Si tingeva i capelli nero catrame; un fiume di pece luccicante; li aveva sempre tinti per catturare la luce. Si ungeva i gomiti e il naso, e l'arabesco di rughe sulla fronte. Si versava colate d'oro attorno al collo e ai polsi. Possedeva un centinaio di anelli diversi. Brill era convinto che, con un briciolo di cultura in più, sarebbe stata identica alla Seelenhohl; un altro briciolo, ed eccola indistinguibile dalla dottoressa Glypost; ancora un poco e (senza le catene d'oro) sarebbe stata come quegli epistemologi di molto tempo prima. Non gli impedì di imbucare la lettera nella casella della signora Seelenhohl.

Si sedeva accanto a lei ogni sera per guardare la televisione — ma sempre scegliendo i programmi accuratamente, a volume molto basso, per non disturbare Naphtali che lavorava nella sua stanza. Guardavano tutti i programmi migliori che trasmetteva la televisione di stato: vecchi film famosi, spezzoni di balletti, interviste a curatori di musei, ed a volte un'intera opera lirica. Brill si appisolava quasi sempre sulla sua poltrona. «Proprio come un vecchio!», sibilava Iris. La ricca benefattrice era morta alcuni anni prima; il figlio e due delle figlie si occupavano del Consiglio di Amministrazione. Anche due delle sorelle di Brill erano morte: Anne e Berthe. Claire si era trasferita nell'appartamento che era stato di Berthe; era lei ora la proprietaria della sala da pranzo in legno di ciliegio. Era diventata sorda come una campana. Brill si affliggeva di più per il padre e la madre, Gabriel e Loup, Michelle e Louise, Ruth e il rabbino Pult, che per le sorelle. Era abituato a soffrire per le sue prime perdite; era come se non potesse sopportare di aumentare il suo fardello. Naphtali era ora l'unica persona in tutto il pianeta per il quale provasse affetto. Le ABC non avevano mai conosciuto Naphtali, e nelle loro lettere si erano spesso dimenticate di domandare di lui; ma avevano sempre ricordato Albert con molto affetto, e in occasione del suo matrimonio (Albert aveva sposato la cameriera di Hamilton, nell'Ontario) Berthe gli aveva spedito mezza dozzina di scatole di *croissants*, prodotti dalla migliore *pâtisserie* e avvolte in una elegante carta dorata, come affettuosa allusione al suo appetito parigino. La gran parte dei *croissants* si erano disfatti durante il viaggio; una montagna di briciole. Che stupida! A dispetto del sarcasmo di Iris, quella sera Brill non si era addormentato, ma non era neppure sveglio; udì il nome della Lilt — l'aveva udito veramente? O era stata un'altra falsa lusinga, ancora un'altra briciola di Parigi, o forse uno strascico del sonno che l'aveva colto un attimo prima? — e il suo interesse si risvegliò di colpo. «Di che programma si tratta?». «Di nuovo qualcosa riguardo all'Europa», rispose Iris. «Trasmettono sempre roba straniera su questo canale». «Parlavano di Hester Lilt?». «Parlavano d'arte». «Non credo proprio», latrò Brill, «lei non ha nulla a che fare con l'arte. Puoi alzare un po' il volume, per favore?». «Naphtali sta lavorando», borbottò lei.

Lui si sporse in avanti e alzò il volume. Si udì un crescendo di musica in sottofondo — sonorità moderne, distorte, dai toni acuti come lamenti — e poi lettere, parole senza voce che rotolavano giù, come una cascata. Lesse sul video: NUOVI MOVIMENTI ALL'ESTERO - LA FRONTIERA DELL'ARTE. «Hai sentito menzionare il nome della Lilt?». «Non lo so, Joseph, finirai con l'infastidire Naphtali». «Ha fatto parte della nostra comunità scolastica», ribatté lui con impazienza. «Chi?». «Hester Lilt, te l'ho detto». «Non hai mai ricordato nessuno con quel nome». «È stato molto tempo fa. È partita. È andata all'estero».

Le lettere e le parole scivolarono fuori dello schermo per lasciare il posto a due persone, un baldanzoso intervistatore con degli occhiali che gli ingigantivano enormemente gli occhi, e una donna in camicia e cravatta.

«Questa mi sembra troppo giovane per essere stata la madre di uno dei tuoi alunni», osservò Iris.

L'uomo e la donna avevano cominciato a conversare. Brill fissava lo schermo. «Quella non è Hester Lilt».

«Non sapevo che tu fossi tanto appassionato di arte moderna, Joseph».

«Sta' zitta», ordinò lui.

Naphtali gridò dalla sua stanza: «Ehi, laggiù! Non riesco a concentrarmi!».

Premurosamente, Iris girò la manopola. Le voci si smorzarono. L'intervistatore poneva fievoli domande e la donna rispondeva fievolmente. Il programma trattava di una nuova scuola di giovani pittori. Avevano scelto il nome di Cariatidi — era forse, osservò argutamente l'intervistatore, perché anche i sogni hanno bisogno di un fondamento teorico? La donna si diffuse in una spiegazione delle nuove teorie; era piuttosto difficile seguirla. Un'opera d'arte, diceva, è come l'acqua contenuta nella gobba di un cammello: un fluido vitale che non può essere visto se non attraverso la forma che conferisce, e che non può essere percepito se non attraverso l'effetto che produce sul cavaliere. Era una forma priva di una sembianza conoscibile. Ammise che era piuttosto insolito trovare una teorica a capo di una corrente artistica, ma quella sera avrebbe concesso un'intervista televisiva — le sue opere erano già state esposte in diverse gallerie parigine, erano state annunciate nuove mostre anche a Londra, e ben presto sarebbero giunte negli Stati Uniti, al prestigioso Guggenheim Museum di New York. E poi, Chicago e Cleveland.

«Noioso», borbottò Iris. «No-io-so».

Apparve un terzo viso. Brill riconobbe subito Beulah Lilt. Cominciò con lo smentire l'intervistatore e la donna con la cravatta: lei non era una «teorica», non credeva nei «movimenti», non era a capo di nessuna scuola e certamente non cavalcava cammelli. Non c'era alcun movimento, e comunque non aveva nome; in realtà, aveva soltanto chiamato «Cariatidi» una serie di tele che aveva dipinto; tutto il resto era invenzione della stampa.

«Oh, Joseph, per grazia di Dio!».

«Lei è stata educata negli Stati Uniti», stava dicendo l'intervistatore.

«Non credo che si possa propriamente definirla educazione». (Risate fra il pubblico).

«È un commento sull'assenza di cammelli in America, oppure sullo stato attuale della pittura in Europa?». (Risate fra il pubblico). «In ogni caso, lei ha frequentato la scuola primaria nel Middle West, o sbaglio?».

«Credo di sì. Almeno, mia madre mi ha detto così». La voce di Beulah! Sonora e del tutto chiara; come purificata. Non aveva più alcuna cadenza americana. Portava i capelli corti, e trattenuti da due forcine a forma di farfalla. Brill cercò nuovamente di calcolare la sua età: ventisette, ventotto, venticinque. Lo colpì il fatto che gli occhi di lei apparissero prodigiosamente luminosi. Lenti a contatto? Le luci dello studio televisivo? Chi aveva levigato quelle pietre verdi?

L'intervistatore proseguì: «Non ricorda ad esempio qualche avvenimento in particolare, del periodo in cui ha frequentato le scuole negli Stati Uniti?».

«Non ricordo assolutamente nulla».

«Eppure sua madre dice...».

«Mia madre dice un sacco di bugie». (Risate fra il pubblico). «È il suo mestiere». (Risate fra il pubblico).

«E quale sarebbe questo mestiere?».

«La madre». (Risate fra il pubblico).

«Non c'è dubbio», incalzò l'intervistatore, «che la madre di Beulah Lilt debba essere stata ben diversa dalle altre madri. Per inciso, si dà il caso che sia Hester Lilt, de *L'Institut Philosophique...*».

«Questo significa soltanto che è anche capace di scrivere le sue bugie». (Risate fra il pubblico).

«Dio mio, ma che t'importa?», sbottò Iris. Poi, in tono d'accusa: «Che ti succede, Joseph? Questa roba ti interessa tanto quanto a me».

Le mucose del naso di Brill erano in fiamme; aveva l'impressione di non riuscire a respirare, era impossibile che stesse veramente ascoltando tutto questo. Nemmeno un accenno al Duplice Programma! Come se non esistesse! Come non fosse mai esistito! Come se fosse nulla, nulla! Era un'allucinazione, un miraggio; ancora una volta stava correndo dietro a un volto che non era un volto, a una voce che non era una voce. Uno spettro.

Lo spettro svanì, ma il programma non era terminato. La donna con la cravatta annunciò che il prossimo ospite sarebbe stato il critico d'arte di «L'Empressement», autorevole settimanale parigino. Ormai, una batosta dietro l'altra, con la preveggenza suscitata dalla sua dissimulata sonnolenza, Brill sapeva ciò che avrebbe visto ancor prima di vederlo: qualcosa di simile ad un *djinn*, capace di assumere qualsiasi forma. L'inglese del critico era eccellente, forse anche leggermente più fluente di quanto fosse al tempo in cui avevano attraversato la Manica insieme, ma — inaspettatamente — sotto il mento gli pendeva un bargiglio grinzoso che lo fece pensare a uno scroto svuotato. Le sue guance cascanti non erano cambiate; flosce come palloncini bucati. Era magrissimo, troppo magro, e i suoi capelli erano radi, benché ancora neri e lucenti. Brill pensò: se li tinge. Come era diventato vecchio e scheletrico Claude! Era certamente Claude; una batosta dietro l'altra, un fantasma dopo l'altro, l'Egitto che divora Osiride. Brill si lasciò sfuggire un enorme sbadiglio; aspirava fuoco come una fornace; Iris aveva ragione, quella roba non lo interessava affatto, sbadigliare e sonnecchiare era più confortante. Tuttavia, si sforzò di prestare attenzione. La donna con la cravatta, discreta e rispettosa, stava ponendo al *djinn* — quel vecchio, logoro, raggrinzito Claude — domande incomprensibili. Claude disse di trovarsi perfettamente d'accordo con il giudizio che Madame Lilt aveva espresso su sé stessa, aveva colto nel segno, in effetti lei non era un teorica, eppure aveva seminato lo scompiglio nelle gallerie di Parigi. Qual era la causa di tanto scompiglio, domandò l'intervistatore, discreto e rispettoso. Una specie di latenza, rispose Claude, in un inglese tanto perfetto e schiettamente britannico che Brill fu costretto a riconoscere che l'aristocrazia è sempre l'aristocrazia, non importa di quale genere: ha la capacità di esercitare controllo sui suoni più elusivi dell'universo; percepisce il canto stesso degli uccelli. «La latenza», pigolò Claude (con una sorta di cinguettìo enfatico, acuto e brioso), «dell'Idea; ha scelto», concluse, «un soggetto incontestabile».

Era veramente Beulah, era veramente Claude? Era senza dubbio Claude, anche se essiccato. Le sue palpebre traslucide si erano ripiegate spontaneamente, come logori paraventi cinesi. Dunque avrebbe potuto non essere Beulah — cosa aveva a che fare Beulah con Claude? Claude, che aveva preteso che imparasse un intero brano di Pierre Louÿs, tradotto in una lingua che Joseph riusciva a malapena a pronunciare? E se quella era veramente Beulah — era certo che si trattasse di Beulah; per lo meno, *quella* certezza l'aveva — come era possibile allora che quello fosse Claude, Claude con tutta la sua fanciullesca bellezza di tanto tempo prima?

Tuttavia, Brill attese. Leggeva gli annunci, scorrendo astruse rubriche su riviste che appena conosceva. Era in attesa di Chicago o di Cleveland. Per qualche motivo, mancò l'appuntamento nella prima città, e così partì per la seconda; condusse Naphtali con sé. Iris deplorò che la spesa per la camera in albergo non fosse giustificata da un fine ragionevole, per non parlare dell'opportunità di affaticare Naphtali con un viaggio tanto lungo appena prima degli esami; ma Brill obbiettò che era importante che il ragazzo facesse esperienza di qualcosa di inconsueto, che cosa altro sarebbe altrimenti l'educazione?

«In questo caso», ribatté Iris, «potresti addirittura portarlo direttamente al Guggenheim Museum! Potresti addirittura trascinarlo fino a New York appena prima degli esami!». «Sarebbe ora che visitasse New York», osservò Brill. «E Parigi? La prossima volta mi dirai che è ora che conosca tua sorella Claire! Ecco l'educazione — lei potrà mandargli dei biscotti come regalo di matrimonio!».

Brill non le rispose; gli capitava spesso di non rispondere a sua moglie. Ciò che desiderava era una semplice testimone. Guidò Naphtali su per una tortuosa rampa di scale, e si trovarono a guardare attraverso fantasmagoriche finestre delimitate da sottili cornici argentee. Nell'angolo inferiore di ciascuna di quelle dense eppure inconsistenti finestre, c'era la firma di Beulah Lilt. Era vero, era vero. «Che cosa ne pensi?», domandò a suo figlio; osservò Naphtali spalancare gli occhi, con una specie di scatto, mentre la punta della lingua scivolava dentro e fuori delle labbra. Naphtali gli avrebbe fatto un favore: avrebbe espresso il giudizio più appropriato, quello che avrebbe dovuto esprimere lui. Brill cercò di immaginare quale fosse il giudizio più appropriato. Non sarebbe stato sufficiente dire che quelle curiose finestre erano «astratte»; si sarebbe potuto egualmente dire che non erano astratte abbastanza. Vi si potevano immaginare scene sorprendenti: ma, avvicinandosi, si scopriva che era soltanto colore, qui opaco, là brillante, che dava vita a forme a volte quasi sontuose, a volte simili a vortici. La purezza del balbettio inconcepibile nella valle dell'interpretazione. Quel vecchio sacco d'ossa con la pappagorgia conosceva a malapena il suo mestiere: lei non aveva alcun «soggetto incontestabile». A un certo punto, osservando una tela da poco più di un metro di distanza, credette di scorgervi una profonda lacerazione scarlatta che si apriva, dall'anca al calcagno, nel fianco di un nudo femminile: in quella specie di trincea si accalcavano due doppie file di grossi alluci umani, dalle unghie gialle e scabre. Ne fu depresso — ma, osservando più da vicino, si accorse una volta di più che erano soltanto macchie di colore. Non c'era alcun nudo, nessuna trincea, nessuna orrenda piaga rosso-sangue brulicante di dita vive. «È famoso questo artista?», volle sapere Naphtali. Allora Brill lo riportò in albergo; la stanchezza lo assaliva così presto la sera!

Anche Naphtali era stanco, ma il fatto di dormire in una città dove non era mai stato prima lo eccitava. Domandò una pianta della città all'impiegato della ricezione e raccolse nell'atrio una manciata di opuscoli sui luoghi interessanti dei dintorni. Nel giro di un'ora, chino sui fogli di carta da lettere dell'albergo e brandendo una penna a sfera dell'albergo, aveva imparato alla perfezione le peculiarità dei cimiteri indiani della zona, la storia dei pionieri e dei padri fondatori, la dislocazione del Municipio e del Rotary Club, e persino i nomi dei minerali che caratterizzavano i dintorni; conosceva anche il prezzo di ogni cinema della città, chi fossero i migliori specialisti neurologi, quali Presidenti americani avessero visitato la zona e i nomi di tutti i personaggi famosi (compresa una rinomata cantante lirica) che fossero nati nella città stessa o nelle cittadine del distretto. C'erano annotazioni nell'elenco del telefono, su un cartello affisso sopra il gabinetto, e persino su un vecchio biglietto ferroviario che qualcuno aveva dimenticato nella Bibbia da cassetto, proprio in mezzo al libro di Giobbe. Gli elenchi di Naphtali erano veramente ingegnosi; adorava categorie, divisioni, classificazioni, generi; adorava la meticolosità. Ma Brill ne era stordito. «C'è un museo di vetture tranviarie!», gridò Naphtali dal bagno, dove aveva trovato ancora un altro opuscolo. «C'è un monumento a Napoleone!». «A Napoleone?», si stupì Brill; «Qui?». «Tutto è possibile dovunque», dichiarò Naphtali con quel suo tono maturo.

La purezza del balbettio inconcepibile nella valle dell'interpretazione.

Brill rammentò a sé stesso: *Al mattino getta il tuo seme, e alla sera non trattenere la tua mano: perché tu non sai quale prospererà, se questo seme o quello...*

Pult: *A quarant'anni Akiva non aveva ancora iniziato ad imparare, e non sapeva ancora nulla. Un giorno se ne stava accanto a un pozzo, a Lydda, e disse: «Chi ha scavato quella pietra? E chi ha levigato quella pietra?». Loro gli risposero: «Non sai, Akiva, cosa è scritto nel libro di Giobbe? "Le acque consumano le pietre"».*

Il peccato di aver trattenuto la propria mano.

Chi aveva levigato quelle pietre verdi?

Quando tornarono a casa, Iris domandò: «Allora? Valeva la pena del viaggio?».

E il brillante Naphtali strillò: «Guarda che lista!».

Nel frattempo, la perfidia: la Seelenhohl aveva presentato al Consiglio di Amministrazione un reclamo contro il Direttore Brill; la sua ultima lettera fu esibita come prova. Stava diventando ogni giorno più irragionevole. Era troppo vecchio, era inetto. Pretendere che un'insegnante rinunciasse al proprio tempo libero per impartire lezioni private, e al suo stesso figlio! Era tenuto a render conto del proprio operato al Consiglio, oppure no? Si riteneva che quell'egocentrico, tirannico e ridicolo vecchio autocrate fosse ancora in grado di svolgere le funzioni di direttore, oppure no? Il Consiglio esitò. Ne discussero. Non dimentichiamo le sue origini, intervenne il figlio della ricca benefattrice, non dimentichiamo quello che gli accadde durante la guerra. Non si può sbarazzarsi alla leggera di un uomo con un tale passato. D'altro canto, obbiettarono le figlie della ricca benefattrice, avrebbero dovuto rimanere in eterno schiavi del suo passato? Ormai era tutto a posto, non era forse vero? O forse non avrebbero mai più potuto sostituirlo, soltanto perché un tempo aveva attraversato un brutto periodo, e in un passato tanto remoto? Avrebbe dovuto rappresentare una perpetua eccezione alle leggi dell'ordinaria amministrazione? Forse la sua storia doveva diventare oggetto di culto, e la scuola il suo santuario? Il bene della scuola non contava più nulla? Dovevano restare incatenati per sempre a un vecchio, per compassione?

Il Consiglio — cautamente, diplomaticamente — pregò Brill di designare il proprio successore. Si accapigliarono con lui per settimane e per mesi; lo insidiarono con l'inganno e la lusinga; lui capì di essere ormai sconfitto; in ogni caso, si sentiva stanco. Il figlio della ricca benefattrice, un ragioniere della pubblica amministrazione, con insolito slancio propose il rabbino Sheskin. Sheskin Direttore! «Sciocchezze!», sbottò Brill. «Avvilisce le ambizioni degli alunni più brillanti. Ha quasi ridotto al silenzio Naphtali. Permette che gli oziosi si impigriscano, che facciano qualunque cosa». In segno di particolare deferenza, al voto di Brill fu attribuito un peso determinante; votò per Gorchak. Gorchak era onesto. Aveva rispetto per il Doppio Programma e per chi l'aveva istituito. Si stabilì che il Direttore Brill si sarebbe dimesso l'inverno seguente, quasi sei mesi più tardi — il Consiglio, devoto alla memoria della defunta benefattrice, convenne che non c'era alcuna fretta — ma Brill si sentiva a disagio. Da un giorno all'altro Gorchak cominciò a dare ordini senza consultarsi con il Direttore Brill, legittimo sovrano e padre fondatore. Brill si avvide che Gorchak sapeva come far ridere i membri del Consiglio; non si esimeva dal dir loro in faccia le cose più irriverenti. Disse loro che avrebbero dovuto comportarsi come la loro madre avrebbe desiderato che si comportassero, quasi fossero tutti quanti (le sorelle con i loro cinquant'anni, il fratello con i suoi sessant'anni) un branco di bimbetti. Era capace di far ridere senza ritegno gli alunni dell'ottava, della settima, della sesta, della terza, ed ora persino i membri del Consiglio.

«Mio Dio, Joseph», esclamò Iris una mattina di primavera, quando il suo incarico stava ormai per scadere, «questa non è quella pittrice che esponeva in quel museo dove hai trascinato Naphtali? È ovunque, eccola anche qui». Lui rifletté su quanto fosse penoso alzarsi dal letto così di buon'ora; era l'epoca delle assunzioni. Lo attendeva una lunga giornata di colloqui. Gettò uno sguardo alla rivista che Iris gli stava mostrando. Gli mostrava sempre le riviste dove compariva qualche foto di Beulah Lilt. Lesse: PITTRICE DELL'ANNO. Prodigioso. Il viso sembrava troppo consistente, più simile a una pesante statua che a una fotografia, perché mai? Gli occhi erano pietre verdi splendidamente levigate. Non riusciva a comprendere come fosse avvenuto questo mutamento, questa illuminazione. Era più matura; diversa; ogni volta che si imbatteva nel volto di Beulah Lilt lo trovava più sconcertante, più difficile da rievocare. Non somigliava affatto ad Hester Lilt.

Senza alzarsi dal letto, telefonò a Gorchak. Gorchak accettò con piacere di assumersi l'impegno di intervistare i candidati; dopo tutto, sapeva bene quali virtù dovesse avere un buon insegnante. Doveva essere dinamico, dotato di senso dell'umorismo e di intraprendenza; qualcuno che sapesse distinguere uno studente volonteroso da uno pigro; qualcuno che fosse brillante egli stesso. Avrebbe esaminato le referenze alla ricerca di una lunga serie di ottimi voti; avrebbe scelto la crema. Andava da sé che avrebbe dovuto approfittare del grande e buio ufficio del Direttore Brill e sedersi dietro l'imponente scrivania del Direttore Brill, sulla sedia Bristol del Direttore Brill, con la sua mano e il suo mappamondo: altrimenti la sua figura avrebbe mancato di autorità, e come avrebbe potuto assumere con successo senza uno sfoggio di autorità?

Mentre sedeva sulla sedia Bristol, dietro la scrivania di Brill, nell'ufficio di Brill, Gorchak fu colpito da una bella e giovane donna dai capelli bruni, una bocca alquanto minuta, un naso alquanto largo. Si era sposata recentemente e senza dubbio sarebbe rimasta incinta molto presto. Ma Gorchak non era un bigotto come il Direttore Brill, si proponeva di essere progressista, ed era convinto che una donna in buona salute potesse tranquillamente insegnare anche al nono mese; in ogni caso, non si potevano ignorare le recenti leggi in proposito. Inoltre, Gorchak conosceva le referenze di quella giovane donna ancora prima di esaminare la sua cartella. Il colloquio fu una celebrazione, un abbraccio. Era stata una delle sue migliori allieve.

Brill, esaminando l'elenco delle nuove assunzioni, vide un nome sottolineato in rosso.

«Che significa questo?».

«È il mio trofeo», annunciò Gorchak. «Una rivelazione. È entrata semplicemente dalla porta, come apparsa dal nulla».

«Signora R.G. Korngelb».

«La stimo molto capace. Vinse il Premio per il Tema di Argomento Ebraico, l'anno che si diplomò. Che classe era quella! Si ricorda di Corinna Luchs?».

«Corinna Luchs», ripeté Brill ottusamente.

«Quell'anno tenne il discorso di commiato e fece incetta di onorificenze. La migliore allieva che la scuola abbia mai avuto. Appena terminata l'Accademia, fu ammessa ad Harvard».

«Luchs», mormorò Brill. La capobanda. La banda che le correva dietro; e Beulah Lilt, per ultima. «Ragazza brillante. Esami eccellenti. Notevole sagacia. Harvard».

«Ora è vicepresidente incaricata delle pubbliche relazioni di una importante compagnia aerea. La più giovane che abbiano mai avuto. Si occupa di redigere tutti i loro opuscoli pubblicitari. La madre si tiene in costante contatto con me».

«Intende dire che *lei* si tiene in contatto con la madre, Ephraim. Lei si occupa di tutto. La scuola si avvantaggerà della sua nuova posizione. Sono certo che terrà tutto sotto controllo».

Gorchak picchiettò un gongolante indice sull'elenco. «Signora R.G. Korngelb! Immagini un po', si tratta di Becky! Rebecca Gould, correva spesso insieme a Corinna».

«Me ne ricordo».

«Le ho assegnato un incarico di responsabilità, Joseph. L'ho messa direttamente in settima. Studi Sociali. È laureata in sociologia, ma può insegnare anche la storia».

«Alla signora Seelenhohl non piacerà. Essere scavalcata da qualcuno a cui ha insegnato». Non si fidava della Seelenhohl. Aveva già dato prova della sua perfidia; preferiva tenersi lontano dalla sua strada. «Le affidi la quinta».

«Alla signora Seelenhohl?».

«Alla signora Korngelb. Non ci è mai capitato un caso simile, prima d'ora», osservò in tono dubbioso. «Una delle nostre stesse allieve».

«Una delle nostre allieve, esatto! Conosce i nostri criteri di valutazione. Sa cosa pretendiamo dagli allievi, perché lo ha sperimentato lei stessa. Un colpo di fortuna, Joseph», dichiarò Gorchak; prima di allora, non aveva mai osato chiamarlo in altro modo che Direttore Brill. «Nel giro di un paio d'anni, sarà pronta per l'ottava. In ogni caso, dovremmo mandare in pensione la Seelenhohl. È sempre stata una scansafatiche».

«Ephraim», azzardò Brill cautamente, «di quella stessa classe, ricorda Beulah Lilt?».

«Come potrei dimenticarla? Se mi permette, Joseph — è stato uno dei suoi errori. In primo luogo, non avrebbe mai dovuto essere ammessa. Non poteva farcela. L'ultima della classe. La madre era divorziata, o forse vedova, in ogni caso non aveva marito, ed era indolente quanto la figlia immagino, non si è mai fatta vedere a scuola, non si è mai interessata delle attività del Comitato...».

Quell'affidabile stupido ora osava chiamarlo Joseph! «Nel suo piccolo, la madre era piuttosto famosa. Lei non ci ha mai fatto caso».

«Quel libro per bambini?... no, non può essere. Non era la signora Lillian Lebow, che scrisse quell'alfabeto ballerino?». Un roseo sogghigno tutto denti gli sfavillò al di sotto del naso finemente scolpito. «Cosa ne pensa della mia preda del giorno? Il ritorno del nativo, sembra il titolo di un romanzo di successo!».

Brill rispose: «Sì. Un successo».

«Ha sempre meritato il massimo dei voti nelle mie esercitazioni settimanali».

«Ephraim non si monti la testa. La realtà è che noi qui coltiviamo soltanto pigmei. Ci ha mai riflettuto? Una repubblica a parte. Non si sposano mai, non fruttificano mai. Rosei e imberbi per l'eternità».

«Oh, non è vero, Joseph. Si sposano tutti».

«Sono preoccupato per Naphtali. Sono troppo vecchio, non saprò mai che ne sarà di lui...».

«Diventerà direttore! Farò meglio a stare in guardia!», scherzò Gorchak.

Gorchak scherzava; scherzava come se avesse avuto di fronte un bambino, perché il Direttore Brill era vecchio, e i vecchi sono come i bambini. Gorchak aveva la sua famigliola, il ragazzo e la ragazza, la piccola moglie ansiosa; quando stava in piedi, proiettava un'ombra come qualsiasi altro uomo. Brill ammoniva sé stesso: Gorchak esiste; Gorchak mi vede, e io vedo lui; entrambi proiettiamo la nostra ombra; è necessario considerare seriamente Gorchak. Ma non sapeva come.

Con diligenza e accuratezza, Brill si teneva informato su tutto quanto concernesse Beulah Lilt. Era troppo inesplicabile per lui. Per un certo periodo fu vigile e concentrato, ma poi dovette ammettere con sé stesso che bisognava, in un certo qual modo, non essere tanto stanco, e approfondire tutti quegli argomenti, o perlomeno provare interesse per i movimenti artistici contemporanei; e per la storia dell'arte; e per le visioni. Scoprì che gli interessavano soprattutto le attività scolastiche di Naphtali.

Il Consiglio — sempre diplomaticamente e con molta cautela — stava cercando di costringerlo a lasciare il fienile. «Dopo tutto», osservò il ragioniere della pubblica amministrazione, «deve essere destinato ad abitazione per il Direttore. È stabilito dal contratto. Io l'avevo dimenticato, ma le mie sorelle no». In quarant'anni nessuno gli aveva mai parlato di quel contratto; erano dei bifolchi. «Joseph dovrebbe essere insignito del titolo di Direttore Onorario, non credete?», ululò Iris; era furiosa con tutti i membri del Consiglio. «Non abbiamo forse vissuto qui per anni e anni? E Joseph è il *promotore* del Duplice Programma, e ora voi vorreste cancellare tutto con un colpo di spugna! Mio Dio, questa scuola non avrebbe mai avuto un *nome*, se non fosse stato per Joseph!». «E se ce ne andassimo?», propose Brill; l'avversione per il fienile non l'aveva mai abbandonato. «Dopo tutto, prima che arrivi il momento di traslocare, Naphtali sarà pronto per iscriversi all'Accademia». Naphtali parlava ormai correntemente il francese; il francese di Naphtali era eccellente. Brill stesso aveva cominciato a stare la sera con Naphtali, per aiutarlo a ripetere i verbi irregolari. Naphtali adorava le flessioni dei tempi verbali; adorava coniugare. Iris si irritava quando Brill e Naphtali recitavano insieme quelle sillabe bizzarre; le rammentavano una volta di più il regalo di matrimonio che Berthe aveva spedito ad Albert. «Non credi che dovresti lasciare qualcosa da fare anche all'insegnante di francese?», lo redarguiva.

Segretamente Brill accarezzava l'idea che Naphtali si iscrivesse ad una scuola più illustre dell'Accademia. Naphtali doveva entrare alla Sorbona. Non si poteva essere ammessi alla Sorbona provenendo dall'Accademia; non significava nulla che Corinna Luchs fosse riuscita ad entrare ad Harvard. La Sorbona è sempre la Sorbona. «Sai cosa penso?», disse a Iris, con la massima gentilezza. «Che forse Naphtali dovrebbe andare per un po' a Parigi. Potrebbe perfezionare il suo francese, e non sarebbe nemmeno troppo dispendioso — potrebbe stare da Claire, e provare a frequentare un anno alla Sorbona, per vedere se gli piace».

«Da Claire!», esclamò Iris.

«È tutta sola, le farebbe bene».

«E a Naphtali? Farebbe bene anche a *lui*? Claire non sente nemmeno il campanello, o il telefono. Finirebbe per farle da maggiordomo. Passerebbe la vita in giro per drogherie e tutti quegli altri stupidi negozietti, a fare la spesa. Finirebbe per farle da domestica. Finirebbe per dirigere una specie di casa di riposo».

Non seppe cosa risponderle; negli ultimi tempi Iris aveva sviluppato una vera passione per le crudeli verità. Era tutto vero: nelle sue lettere, la calligrafia di Claire andava sbiadendo sempre più, si faceva ogni volta più vaga, più incerta; era come se la penna fosse un pesantissimo remo che aveva a malapena la forza di reggere.

«D'accordo», concesse Brill. «Potremmo trovare un'altra soluzione».

«E quale?».

Stava sognando. Lei gli avrebbe rinfacciato che stava sognando proprio come un vecchio.

«Potremmo trasferirci a Parigi», azzardò.

«Parigi!», gemette lei. «Negozietti puzzolenti e cucine civettuole. Dio mio, non potrò mai dimenticare la stanza da bagno delle tue sorelle, e dopo tutti i lavori e le spese che abbiamo sostenuto per rimodernare questa casa? Per Parigi, una volta nella vita è più che abbastanza».

Naphtali protestò: «E poi io non voglio diventare un astronomo».

«Non c'è solo l'astronomia. Io avevo scelto quella facoltà», spiegò Brill, «ma alla Sorbona tu potrai studiare quello che vuoi».

«E perché non l'astronomia?», domandò Iris.

«Non è quella la via per le stelle».

Questa risposta la fece ridere. «E cosa vorresti diventare?».

Per qualche ragione, non avevano mai posto a Naphtali quella domanda; era troppo versatile.

«Un insegnante».

«Oh, un insegnante!». Rise di nuovo, in quel suo modo sguaiato. «Non ne hai avuto abbastanza degli insegnanti, da queste parti?».

«Voglio assegnare i compiti a casa», dichiarò Naphtali.

Brill non poté più seguire le tracce di Beulah Lilt; non riusciva a tenere il suo passo. Non era soltanto perché lei era così abile a nuotare in un mare che lui non poteva né penetrare né scandagliare — una sorta di letargia si era impadronita di lui. Era simile alla letargia degli anni precedenti, ma allora l'aveva contrastata correndo; ora si muoveva sotto un malefico influsso. L'artrite lo costringeva a camminare con l'aiuto di un bastone. Frattanto, Iris soffriva di emicranie; ogni volta che sentiva avvicinarsi un attacco, saltava su un aereo e andava ad Hamilton a trovare Albert, sua moglie, e il loro nuovo bambino. Quando Iris era via, gli capitava abbastanza spesso di imbattersi in Beulah Lilt, rivelata nell'intimo dallo schermo televisivo, il viso, gli occhi e i denti smaglianti enormi e vicinissimi. O forse gli sembrava che fosse Beulah, mentre sonnecchiava davanti a quella finestra tremula e luminosa. Capiva che era acclamata. E capiva anche di più: le forme, i colori, lo splendore, la definita oscurità che sovrasta tutte le forme delle cose — tutto ciò era considerato una specie di linguaggio. Lei parlava. Il mondo intero la trovava sorprendente. Era la figlia di sua madre. «La tua pittrice parigina», saltava fuori Iris, di tanto in tanto, «guarda qui, un altro premio per qualche cosa, visto che t'importa...». Gli porgeva un ritaglio di giornale. Lui lo leggeva e poi lo gettava via. Il suo linguaggio lo amareggiava; riusciva ad assimilarlo ancor meno di quello della madre. La luce e il buio, i colori, la metamorfosi magica delle forme: che lingue bizzarre, aggressive, vivaci, sapeva parlare!

Mai più, neppure in un sogno ad occhi aperti, rivide il vecchio, astuto, evanescente Claude, le sue palpebre traslucide e il suo tremulo bargiglio.

Brill e Iris si recarono in automobile all'Università, per assistere a una proiezione di diapositive nella stessa aula dove Hester Lilt aveva tenuto la sua conferenza sull'Interpretazione della Pedagogia. Naphtali stava lavorando a una ricerca extrascolastica per Gorchak, e aveva rifiutato di accompagnarli. Anche Iris era truce. I dipinti di Beulah Lilt, uno dopo l'altro, preceduti da uno scatto secco che echeggiava nell'aula oscura come una spelonca; e poi un film, dove Beulah conversava in quel suo modo ammaliante che suscitava l'ilarità del pubblico. Tutti ridevano, attorno a loro. Brill era amareggiato, sconcertato. «Che noia!», esclamò Iris, «come fai a sopportarlo? Non mi lascerò più trascinare a vedere una cosa simile. Non cercare mai più di convincermi. Che cos'è questa ossessione, questo trascinarsi di qua e di là? Non è mai stata tua abitudine, scaldarti tanto per l'arte!», concluse, con quel tono che Brill conosceva bene; stava a significare che lui l'aveva ingannata un migliaio di volte di troppo.

Infine dovettero traslocare dal fienile. Brill ne fu sollevato. La piccola, ansiosa signora Gorchak si installò nella modernissima cucina di Iris, con tutti quegli armadietti costruiti appositamente. Gorchak regnava nell'ufficio di Brill; ma Brill si era portato via la sedia Bristol e i ritratti di Freud, Einstein e Spinoza. Il *Ta'anit* lo lasciò dove stava. *La Bestia* di Fleg lo gettò via. Gettò via tutto quello che aveva stipato nei capaci cassetti della sua scrivania, uno strato geologico dopo l'altro. Ci volle un intero lungo pomeriggio di lavoro; si interrompeva per esaminare qualunque cosa venisse alla luce. Pacchi di vecchie lettere di Claire: «Sbandato». E di Berthe: «Sii fecondo, Joseph, e moltiplicati! "Non è bene che l'uomo resti solo". Sposati, Joseph, prendi moglie!». Quelle lettere erano vecchie di decenni, e fra le pieghe più riposte scorse l'impercettibile movimento di pallide larve. Sotto un mucchio di temi del terzo anno (perché mai si trovavano lì? — poi ricordò: la Fifferling glieli aveva scaricati prima di andarsene) trovò il dattiloscritto di Hester Lilt, ancora dentro la busta con la dicitura A MANO. Quindici anni prima Iris l'aveva ricevuta dalle mani di Beulah; sembrava assolutamente identica. Notò il brillante inchiostro blu delle parole A MANO, e rammentò come Iris l'avesse stregato proprio quello stesso giorno, la lingua impertinente, l'impertinente frangetta, l'incantesimo! Un nuovo terrore gli fece stridere i denti. Stregoneria. Il verme strisciante dello scherno che si dilata fino a trasformarsi nel serpente capace di stritolare. Aveva obbedito all'esortazione di sua sorella Berthe — troppo tardi, troppo tardi! — ed aveva affrancato la propria vita. I cancelli dell'Eden: presto sarebbero partiti per la lussureggiante Florida, con i suoi venti caldi, per restare accanto a Naphtali. Dal fondo di un cassetto tirò fuori un paio di calzini dimenticati, incrostati di fango secco. Erano di Naphtali — avevano strisce verdi all'altezza del bordo. La pupilla dei suoi occhi. Naphtali era andato benissimo all'Accademia; andava sempre benissimo, ma aveva le sue idee. Iris diceva: «Ha le sue idee». Non parlarono più dell'opportunità che Naphtali perfezionasse il francese, o della Sorbona. Iris non l'avrebbe permesso. Iris diceva: «Avrà più fortuna lontano da quel posto». Brill avvicinò al naso la busta di Hester Lilt, come se le tarme potessero annunciare la loro presenza con un acuto profumo, come la Florida.

Per la prima volta lesse fino in fondo ciò che lei aveva scritto.

Capì che, in fondo, non trattava affatto della Struttura o del Silenzio. Era un saggio lungo, esigente, allusivo, oscuro, angosciante, tedioso; dovette accendere la lampada. Una voce antica, remota. Non aveva più bisogno di prestarle attenzione. L'ultimo capitolo si intitolava «Maestre di scuola», e sembrava più semplice degli altri. Raccontava del pellicano e della cicogna. Riconobbe la cicogna: era quella del rabbino Pult. Aveva saccheggiato uno degli aneddoti dello stesso Brill.

La mamma pellicano (raccontava) con il becco fatto per pescare, dall'aspetto di una borsa che si dilata: i suoi piccoli vi tuffano il capino candido per piluccare il pesce che lei conserva là dentro per loro. Ah, che ottima madre! Genitrice ideale! Le tradizioni popolari immaginano che il pellicano, nella sua grande devozione, nutra i piccoli con il proprio sangue. Si può vederli succhiare il suo stesso cuore.

Gli ebrei chiamano la cicogna *hasidah*, che significa devozione amorosa. La cicogna, benché il suo becco sia dritto e sottile, è cugina del pellicano e spartisce la sua fama. Lei pure ama i suoi piccoli; profondo è il suo amore per il proprio figlio. Eppure l'*hasidah* è considerata impura. La gallina e l'anitra sono *Kosher*, l'oca può essere mangiata; la cicogna è proibita. Un uccello così devoto alla propria prole, genitore coscienzioso, modello per l'anitra e la gallina, insensibili agli affetti, e per l'inferiore oca! Ma ama soltanto la propria prole. Spera soltanto che il piccolo che porta in grembo si distingua. Non avrà cura del piccolo dello straniero.

Esopica donna! La volpe, l'ape, le galassie cannibali, la risata di Akiva! Saccheggiatrice di Pult! Brill pigiò quelle parole dentro la busta con la dicitura A MANO, e a mano la gettò nel mucchio, insieme ai calzini di Naphtali, ai temi della Fifferling, agli antichi lamenti delle sue sorelle, alla *Bestia* di Fleg. Bestie con bestie, il suo bestiario didattico, la sua araldica, i suoi furtarelli, le sue accuse, sua figlia, sua figlia!

In Florida affittarono una modesta casetta in un quartiere abitato da pensionati colti e benestanti che frequentavano la biblioteca pubblica, se ne andavano in giro con romanzi russi e latte in bottiglie di plastica sottobraccio, assistevano alle conferenze, leggevano il «New York Times» con un giorno di ritardo, e sussurravano il loro sommesso «buongiorno» da dietro le siepi fiorite. Iris osservò che assomigliava veramente moltissimo a un rispettabile quartierino di Parigi. Naphtali frequentava ora il secondo anno all'Università di Miami, per specializzarsi in economia e commercio. Abitava nel dormitorio, e veniva a casa ogni fine settimana. Poi, a poco a poco, cominciò a venire sempre meno. «Si sta abituando alla vita movimentata che fanno laggiù», disse Iris. «Non credo che danneggerà i suoi studi», aggiunse Brill, con quel tono stanco che ormai gli era abituale; aveva l'impressione che la sua voce suonasse come spaventata. «No», convenne lei, «non lo credo nemmeno io». Naphtali aveva cambiato idea, non voleva più diventare insegnante; pensava agli imperi. Immaginava di fondare delle società commerciali, incrementare i loro utili, e poi fonderle insieme: avrebbe lavorato notte e giorno, sarebbe diventato ricchissimo, e il Presidente l'avrebbe nominato, ad esempio, Ministro dei Trasporti. Sotto la sua amministrazione, sarebbe rinata l'abitudine di viaggiare per terra, attraverso le campagne, grazie ai collegamenti fra treni e autobus mai sperimentati prima che lui avrebbe organizzato: avrebbe ripulito e ristrutturato le luride caffetterie alla fermate degli autobus, nel cuore del paese; avrebbe lavato i finestrini dei treni addormentati; nelle città, avrebbe installato argentei binari gemelli nel nero dell'asfalto urbano, e riportato alla vita i tranvai. Come sarebbe stato contento il Presidente!

Occasionalmente, Gorchak scriveva a Brill una lettera amichevole, per informarlo dei cambiamenti, tutti assolutamente necessari e urgenti — la questione del nome della scuola, ad esempio. Ora si chiamava Scuola Elementare «Riva del Lago».

È proprio in omaggio a lei, Joseph, che ho creduto opportuno raccomandare questa nuova denominazione (scriveva Gorchak). Il nome Scuola Elementare «Edmond Fleg» era ineluttabilmente associato a lei, alle sue origini, al suo temperamento, alle sue esperienze, alle sue proprie spiegazioni e, se mi è permesso dirlo, alla sua singolare cadenza, o accento, nel parlare quotidiano. È indubbio, non c'è bisogno di dirlo, che tutto ciò ha conferito fascino e attrattiva a questa nostra istituzione e, durante il suo incarico, è stato utile e consono al mantenimento dell'atmosfera francofila.

Nondimeno, ci troviamo ora alle soglie di una nuova generazione, per la quale le capitali europee hanno poco, se non addirittura nessun, significato. L'avventura europea è irrilevante per la nostra nuova generazione ed anche, o forse ancor di più, per i nostri giovani genitori. Sarebbe stato meno che ingenuo da parte mia, se non avessi rilevato quanto sia opaca l'allusione letteraria contenuta nel nome «Edmond Fleg», per quanto possa essere stata pregnante e significativa per lei in tutti questi anni. Molti genitori non l'hanno mai capita. Sarebbe stato (sono certo che anche lei ne conviene) un grosso rischio per un'istituzione rinomata come la nostra, continuare a identificarsi con un nome tanto poco comprensibile al pubblico che intendiamo conquistare e servire. Pur leale a quel nome quanto tutti noi siamo sempre stati, certamente anche lei si sarà reso conto di quale ostacolo rappresentasse nella ricerca dei finanziamenti. È mia speranza riuscire ad incrementare le iscrizioni di almeno un terzo, e i contributi economici in misura ancora maggiore, e con il nome davvero pittoresco e silvestre di «Riva del Lago», che tanto richiama alla mente i nostri lacustri dintorni, ho piena fiducia di raggiungere in breve questo importante traguardo. I membri del Consiglio, devo confessarlo in tutta modestia, concordano totalmente con me riguardo a questa questione fondamentale.

In verità, sentiamo tutti la mancanza della sua «Favola delle due *Tantes*», ma siamo anche convinti che lei, Joseph, sarebbe il primo a gridare «Ad Astra!» per la nostra Scuola Elementare «Riva del Lago»! (A proposito, come avrà certamente osservato, abbiamo rimosso il motto «Ad Astra» dall'intestazione della nostra carta da lettere. Anche questo è conseguenza del mio programma di semplificazione e modernizzazione. Sono certo che lei considererà con simpatia questo mio sforzo. Ma, grazie al suo generoso incitamento, «Ad Astra» resterà impresso nel modo più indelebile fra i nostri ricordi più cari, come potrà rendersi conto leggendo l'allegato).

Gorchak aveva allegato una copia dell'ultimo Bollettino del Comitato Genitori-Insegnanti, compilato dalla signora Sheila Frucht, madre di un alunno del quinto anno, e ben nota, informava Gorchak, per il suo eccezionale talento nello scrivere:

La signora Rebecca Gould Korngelb, una delle nostre allieve più brillanti e madre di altri tre, che è anche la più allegra ed amata fra le nostre insegnanti di ottava, per non parlare del fatto che è un'attraente brunetta, si occuperà da oggi anche dell'altro versante del Doppio Programma; è la prima insegnante nella storia della nostra scuola a occuparsi di entrambi i versanti del Programma. Che donna geniale! Oltre a insegnare Studi Sociali, subentrerà al Direttore Ephraim Gorchak nell'insegnamento della Storia Biblica. Il Direttore Gorchak è già abbastanza occupato ad amministrare la scuola! Congratulazioni per l'eccezionale promozione, signora Korngelb!

La signora Seelenhohl annuncia il proprio ritiro dopo molti anni di apprezzato servizio. Buon riposo, signora Seelenhohl!

Il Consiglio di Amministrazione annuncia lo stanziamento annuale di una borsa di $ 100, da denominarsi «Premio Joseph Brill Ad Astra», e da assegnarsi nel corso della Cerimonia Annuale al diplomando che abbia dimostrato la maggiore potenzialità creativa, a prescindere dal rendimento scolastico. Questa insolita motivazione è stata consigliata dal nostro stesso ex Direttore, del quale sentiamo tanto profondamente la mancanza.

Il rabbino Sheskin lascia con rimpianto il suo impiego presso di noi, senza dubbio per seguire la sua stella verso prati più verdi in un'altra scuola, dove confidiamo che sarà apprezzato come certamente lo è stato presso di noi. *Shalom* e migliore fortuna altrove, rabbino Sheskin!

Il mento di Brill riposava sul petto. Aveva paura che non avrebbe più avuto la forza di sollevarlo. Era l'età; era anche qualcos'altro. Persino in Florida, raggomitolato nella sua sedia Bristol, la mano abbandonata sulla mano che reggeva il globo, si vestiva di lana. Era vecchio e infreddolito. Aveva una moglie ancora alta e giovane; tutti lo notavano, e facevano commenti; quanto a questo, nulla era cambiato. Ma c'era qualcos'altro. A volte ricordava cosa fosse. A volte quasi lo ricordava; ma generalmente gli sfuggiva.

Ogni volta che si imbatteva in Beulah Lilt — quando leggeva di lei, o inciampava in una sua fotografia o nelle riproduzioni dei suoi dipinti, quando vedeva il suo viso apparire sullo schermo come un miraggio scolpito nella luce, quando la immaginava come l'incubo che perseguitava i suoi sogni oppure la evocava volontariamente, ad occhi aperti, ed anche quando la ritrovava nei meandri della propria mente, mentre inseguiva altri ricordi — ne restava sconvolto. Era sconvolto! Non perché lei fosse «originale»; ormai si era abituato a quella realtà. Non perché fosse famosa e acclamata; questo gli sembrava naturale come l'aria. E neppure perché era capace di parlare. Soccombeva invece alla ferrea certezza (quando se ne ricordava) che sua madre gli avesse rovinato la vita — l'aveva di fatto atteso al varco, e poi spogliato e depredato. Guardandosi indietro, riconosceva che Hester Lilt gli aveva teso un'imboscata.

Non sentì più parlare di Hester Lilt, della sua vita e della sua opera.

Ma il linguaggio di Beulah Lilt lo aggrediva senza posa, perpetuamente. Lo opprimeva. Lei aveva dimenticato la sua infanzia all'ombra del Programma che era tutto il suo tesoro e la sua fama, che gli era caro quanto il proprio figlio Naphtali. Lei coltivava senza rimuginare quelle forme intenzionali e smaltate, dalle quali a volte si sprigionava una nube fiammeggiante.

Finito di stampare
il 10 febbraio 1988
dalla Garzanti Editore s.p.a.
Milano

67280